LE RÉSEAU CARLOTTA

est le trois cent soixante-huitième livre publié par Les éditions JCL inc.

Catalogage avant publication de Bibliothèque et Archives Canada

Laplante, Laurent, 1934-

Le Réseau Carlotta

(Collection Couche-tard)

ISBN 978-2-89431-368-8

I. Titre. II. Collection.

PS8573.A631R47 2006 C843'.6 C2006-942226-5
PS9573.A631R47 2006

Édition originale : janvier 2007

Le Réseau Carlotta

DU MÊME AUTEUR CHEZ LE MÊME ÉDITEUR :

Vengeances croisées, roman, Chicoutimi, Éditions JCL, 2006, 310 p.

Je n'entends plus que ton silence, roman, Chicoutimi, Éditions JCL, 2005, 170 p.

Les Mortes du Blavet, roman, Chicoutimi, Éditions JCL, 2004, 312 p.

Les éditions JCL inc.
930, rue Jacques-Cartier Est, CHICOUTIMI (Québec, Canada) G7H 7K9
Tél. : (418) 696-0536 – Téléc. : (418) 696-3132 – www.jcl.qc.ca
ISBN : 978-2-89431-368-8

LAURENT LAPLANTE

Le Réseau Carlotta

Roman policier

LES ÉDITIONS JCL

Nous reconnaissons l'aide financière du gouvernement du Canada par l'entremise du Programme d'aide au développement de l'industrie de l'édition (PADIÉ) pour nos activités d'édition. Nous bénéficions également du soutien de la SODEC et, enfin, nous tenons à remercier le Conseil des Arts du Canada pour l'aide accordée à notre programme de publication.
Gouvernement du Québec – Programme de crédit d'impôt pour l'édition de livres – Gestion SODEC

Chapitre 1

« Mais c'est à nous! » avait glapi Gisèle.

Silence tendu, mais silence. Barbelé et vindicatif, mais silence. Simon s'en accommodait. Son regard noir endossait d'abondance la protestation de sa sœur. Quant à Aimé Gendron, leur géniteur à tous deux, il n'avait même pas opposé un rictus à la walkyrie. À eux cet argent qu'il avait accumulé avec humilité d'abord, puis avec fierté? Il n'éprouvait même pas la tentation d'épousseter la mémoire de ses deux assistés familiaux. L'essentiel de sa fortune, il l'avait extrait de ses calculs le plus souvent profitables et de ses entêtements ridiculisés et opportuns, de ses patiences à rebrousse-poil jugées stupides ou, au mieux, aventureuses. Ses enfants? Toujours parasites, jamais partenaires. Il y avait quelques jours à peine, après des oscillations qu'il ne s'expliquait pas et dont il se gardait rancune, il en avait eu marre d'éponger le flot de leurs caprices, de les voir planer en mouettes oisives au-dessus des exigences de la vie et, surtout, de les sentir non pas simplement détachés, mais méprisants. Sa vie durant, avait pesé sur lui le regard des gens durcis par l'instruction; niant toute hérédité, ses enfants s'étaient intégrés à un cercle de snobisme et d'envie. « Assez ! » Et il avait choisi le rituel dîner dominical pour faire tomber le rideau. Au programme du repas, non pas l'avalisation usuelle des exigences, ni même leur compression, mais l'abolition des sempiternelles listes d'épicerie. Le cordon ombilical n'avait que trop résisté; c'est d'ailleurs le père qu'il avait failli étrangler. D'où surgissait ce courage tardif? Il en avait une notion confuse, quelque chose comme l'espoir d'une réussite d'un autre ordre. Chose certaine, sa résolution avait tenu le coup : il venait d'assener les mots lentement mijotés. Il ne subirait plus le cérémonial morbide de leurs réclamations. Fini.

Pendant qu'il casquait à jets continus, eux baignaient leur complaisante et irremplaçable identité dans un liquide amniotique. Simon et Gisèle avaient tous deux franchi le cap de la trentaine sans soupçonner que le sifflet paternel pouvait un jour terminer la récréation. Que le vieux puisse renoncer à ce qu'ils moquaient comme les joies masochistes du pourvoyeur aveugle et naïf, ils ne l'avaient jamais redouté. La bouche pleine, l'affection en marche arrière, nul ne les aurait convaincus qu'il leur faudrait un jour financer eux-mêmes leurs hypothèques bourgeoises, leurs choix de carrosseries et la dictature de leur appareil génital. Ce jour impensable, il venait pourtant de se lever. Comme prévu, Gendron subirait maintenant la rage de ses « pubertaires attardés ». Sans effort, il les entendait d'avance raconter à leurs parasites sentimentaux le « coup de cochon » du vieux. Qui se prétendrait la semaine prochaine maîtresse ou amant en titre?

Gendron n'en avait cure; il lui suffisait que les vampires s'éloignent de son chéquier.

« Prenez vos dispositions, avait-il statué à la fin du repas dominical auquel ils ne consentaient que pour présenter leur compte de dépenses. Je ne finance plus. Fin du mois, fin du secours direct. »

On était le 19 mai.

« Qu'est-ce que ça change pour toi? Tu en as plus qu'assez pour tes bonnes œuvres et tu vas nous léguer le reste. Alors, pourquoi pas un peu tout de suite et le reste plus tard? »

Gisèle postillonnait de rage, mais Gendron n'avait plus à s'initier à l'impudique voracité de ses rejetons. Le déferlement était si prévisible qu'il avait déjà donné congé au traiteur qui, comme chaque dimanche, les avait silencieusement servis tous les trois. Il prit le temps d'une gorgée de café encore chaud. Sa main ne tremblait pas et il en éprouva de la fierté. Ses enfants en étaient, à son vif déplaisir, à la cigarette et au pousse-café. Jusque chez lui, ils lui imposaient leurs mœurs. Quitte à ce que les odeurs survivent à leur départ.

« Quelqu'un vous a-t-il garanti que je vous avais couchés sur mon testament? »

À la question de sa fille, Gendron avait riposté par un trait qui faisait coup double. Pourquoi pas? L'argent les fascinait d'une hypnose commune et leur dictait la même boulimie. L'un se moulant sur l'autre, ils étalaient un identique comportement goulu. Pourquoi ne pas les affoler tous les deux d'un seul trait? Que Simon consomme et rejette les minettes sans s'informer de leur âge ou de leur nom et que Gisèle cherche ses amours passagères loin en aval de sa trentaine, cela les faisait côtoyer les mêmes gouffres financiers. Le sevrage leur balancerait des défis analogues. Gendron les avait rescapés trop souvent pour espérer ne serait-ce qu'un début de remise en question. Différents par le physique et rapprochés par l'engouement pour la chair fraîche, ses deux enfants affichaient un mépris commun pour leur pourvoyeur; qu'il ait été généreux ne prouvait, à leurs yeux, que sa bêtise. À eux la culture et le raffinement, à lui les préoccupations à jamais étriquées des anciens travailleurs manuels. Comment un primaire pourrait-il partager leurs goûts pour les cocktails sélectifs, les cinq à sept onctueux et l'oisiveté distinguée, biens culturels peut-être coûteux, mais nobles?

Sa tasse en attente dans la soucoupe, le doigt accroché à l'anse comme à une gâchette, Gendron avait laissé le silence descendre et les imprégner tous comme un brouillard visqueux. Jusqu'à ce que Gisèle hurle à s'en faire craquer le maquillage. Les décisions de son père survenaient au rythme des éclipses totales, mais elle en connaissait le granit. Moins les arrêts paternels consommaient d'effets sonores, plus ils décourageaient d'avance les protestations. Sentant son père arc-bouté dans un calme de Bouddha souriant, elle planta sa cigarette dans un cendrier peuplé d'impatients tronçons poisseux de rouge à lèvres, chiffonna rageusement la serviette de table qui ne lui avait rien fait et étrangla son briquet dans sa main comme un truand presse un poing américain. Sa chaise recula d'un bond et la furie se retrouva debout. Simon, sur l'autre flanc de la table, préparait en reptile avisé le même dégagement. Il avait toujours concocté dans l'hypocrisie ce que sa sœur exigeait en tapant du pied comme un bébé coléreux.

« Ne t'occupe pas de desservir, Gisèle, j'ai l'habitude. »

L'allusion rappelait de multiples grossièretés, mais Gisèle avait depuis longtemps renvoyé à leur niche la politesse et le savoir-vivre. Que le vieux ignore la différence entre une bonniche et une héritière ne lui imposait à elle aucun devoir. Déjà les talons avaient quitté le moelleux de la moquette et agressaient le clair plancher de bois franc.

« Tu vas entendre parler de moi!

— J'en serai heureux si ça ne me coûte rien. »

La porte de l'entrée émit une retentissante protestation à laquelle les deux hommes ne répondirent pas. Simon avait profité du spectacle son et lumière de sa sœur pour terminer sa rumination.

« Tu as raison, murmura-t-il sans desserrer les maxillaires. Tu ne nous as jamais promis ton argent. Depuis que maman est morte, nous avons présumé que tu le ferais. Nous pensions être les plus proches de toi. Peut-être que nous nous sommes trompés... »

Gendron avait vu la vacherie prendre son envol. Il s'abrita derrière un silence en forme de bouclier, vérifiant de l'œil si sa main trahissait son tumulte intérieur. Une fois de plus, il se félicita de sa placidité apparente : pas une goutte n'avait éclaboussé la soucoupe. Il songeait déjà, cependant, au calmant qui devenait nécessaire. Son fils s'y trompa et crut peut-être ne pas avoir été assez blessant.

« Je n'avais pas compris que ta fondation avait pris toute la place. »

Gendron faillit laisser le fiel lui emplir la bouche.

« As-tu une autre gentillesse à offrir avant d'aller comploter avec ta sœur? »

À une autre époque de sa vie, son vocabulaire aurait moins bien civilisé ses états d'âme. Il ne maniait plus le marteau et la perceuse, mais la verdeur de son langage avait longtemps survécu au cal de ses mains. Ni Simon ni Gisèle n'en étaient à leurs premières salves contre la jeune femme qu'il avait choisie pour gérer sa fondation. Veuf depuis maintenant une quinzaine d'années, leur père avait atteint la soixantaine sans que surgisse jamais la menace d'un remariage, mais l'embauche de la belle Carlotta avait affolé les antennes de sa descendance. Que Gendron apaise sa conscience et compense les contorsions financières de sa vie active en finançant une fondation, cela ne les avait que modérément inquiétés. Que la fondation soit devenue une obsession commune à Gendron et à sa bronzée d'importation, voilà, toutefois, qui constituait, plus qu'un tolérable irritant, un risque redoutable de délestage financier. Les deux hommes se toisèrent. Déjà étrangers, ils s'avouaient ennemis. Simon sortit sans poignée de main ni au revoir, laissant Gendron à sa solitude et au durcissement de ses résolutions. L'argent, qui avait rendu les dimanches précédents trompeusement pacifiques, avait converti celui-ci en conflit ouvert.

La suite? Gendron l'entrevit. Leur habitude de la dépendance et de l'arnaque n'allait pas céder aisément. Longtemps, en hommage à une épouse adorée et par attachement à la famille sans aspérité qu'ils avaient formée ensemble, il avait non pas surestimé ses enfants, mais parié sur leur improbable maturation. Période révolue. Gendron les voyait maintenant au naturel, dans leur cumul irrévocable d'appétit, d'ingratitude, de méchanceté. Il calma sa pression d'un comprimé puisé dans sa poche et se répéta la mise en garde: laisser porter. Son infirmière lui aurait dit de respirer par le nez; il s'y efforça.

Dès le lendemain de la tombée de rideau, Gisèle avait rappliqué au téléphone. Théâtrale jusque dans ses bassesses, elle envisageait d'absoudre son père de propos qui avaient forcément dépassé sa pensée. Elle oublierait le fol ultimatum qu'il avait lancé. Amnésique sur commande, elle avait enseveli dans l'inexistence sa propre menace. Le chéquier paternel demeura sourd à ses appels et le ton s'émancipa bientôt des civilités. Avant que tout dérape en un crescendo incontrôlable, Gendron jeta un pavé dans la conversation: il liquidait la maison familiale.

«Elle ne servait plus que pour nos dîners du dimanche...»

C'était sa façon, radicale à souhait, d'éliminer

en même temps les listes d'épicerie et le décor de leur présentation. C'était aussi le moyen, que Gisèle décoda sans peine, de convertir en argent liquide une autre tranche des biens paternels.

Son réseau d'informateurs renseigna Gendron : la contre-offensive filiale battait son plein. Ses rejetons bien-aimés contestaient son équilibre mental et s'employaient à faire invalider ses décisions récentes. Tel vieux familier de la famille laissait même entendre que l'opération *Le vieux a perdu la boule* roulait depuis déjà quelque temps. Gendron, du coup, accorda plus d'importance aux vicieuses allusions de son fils. Sa carrière avait bénéficié de son instinct de fonceur; il lui restait à parfaire l'art des précautions. S'il en avait le loisir.

Chapitre 2

À la police
Québec, le 15 septembre

Ma situation se décrit en peu de mots : je crains d'être assassiné. Je ne sais ni quand ni comment on s'y prendra, mais mes enfants, qui m'ont fait passer pour aliéné pour me priver de mes biens, font sûrement partie du complot. Le fait qu'ils aient réussi en quelques mois à transformer un gestionnaire crédible en aliéné incapable d'administrer ses biens vous renseignera sur leur aptitude à nuire. Je vais me protéger de mon mieux, mais je ne bénéficie que d'une autonomie limitée qui peut m'être retirée. J'en profite pour vous demander du secours.

Comme un appel d'enfant ardemment adressé à *Père Noël, Pôle Nord,* la lettre avait vagabondé au gré des brises avant d'atterrir sur le bureau d'André Pharand. « Il écrit le 15 et je reçois la lettre le 24. Heureusement qu'il n'annonçait pas un attentat ! »

Peu vaniteux, le policier se demanda sans crispation de l'ego s'il héritait du dossier parce que ses collègues vaquaient à de plus nobles activités.

Cette missive, on l'avait jointe à d'autres pièces; peut-être conduisait-elle à plus important. Pharand le saurait en deux minutes, car nulle obésité ne menaçait le dossier. Au poids, trois ou quatre éléments seulement. Il admira, comme souvent dans le passé, l'agilité mentale de celui ou de celle qui, de documents épars, avait fait un tout. Combien de fois avait-il été lancé sur une piste grâce au lien discrètement établi par le ou la documentaliste? Ce qu'aucune pièce témoignant en solo n'indiquait, le rapprochement le faisait émerger. Pour des motifs obscurs, qui lui donnaient bonne conscience et dont se moquait son collègue Marceau, de religion misogyne, il se plaisait à imputer ces regroupements intuitifs à une femme. Marceau apprenait à contenir ses préjugés dans la sphère privée; Pharand, dont l'enfance avait respiré un vent de préjugés vocaux et virulents, travaillait à s'en purifier.

Malgré cette sérénité de départ, la première pièce au dossier lui avait déplu d'emblée. Allergique au snobisme, Pharand avait tiqué devant l'exhibit. Grand format, sceau prétentieux, bordure à laisser passer un train routier, broches au haut de l'épître, signature auréolée d'un PhD ronflant, le document suintait la plus ostentatoire prétention. En contempler l'étalage suffisait à indisposer Pharand. Pour l'heure, il se bornait aux ATTENDUS majuscules qui concluaient l'analyse comme un résumé consenti aux non-instruits. Le policier espérait que cela lui suffirait et qu'il aurait ensuite congé de bêtise. Forte de ce qu'elle assenait comme autant d'articles de foi, la science, incarnée à l'état pur dans le PhD, décrétait que le dénommé Gendron n'avait plus la lucidité minimale pour fonctionner de manière autonome et que l'inquiétude de ses deux enfants entrait dans la catégorie des plus louables prudences sociales. D'où la recommandation pressante adressée à l'autorité judiciaire : que le dénommé Aimé Gendron soit, d'urgence et péremptoirement, déclaré inapte à gérer ses biens. « Qu'est-ce qui tracasse ces chers enfants? » se demanda Pharand, peu candide en matière d'héritage. « La santé de leur père ou leur confort? » Traumatismes, emportements, pertes de mémoire, dilapidation des avoirs familiaux, vulnérabilité aux influences indues, le diagnostic épuisait le vaste carquois du lexique. Pour amasser autant de griefs sur sa pauvre tête, ce Gendron était, à coup sûr, un concentré de Landru, de Barbe-Bleue, de l'étrangleur de Boston, de Bernardo. Telle était, en tout cas, l'opinion des enfants de Gendron, opinion endossée verbeusement par l'impérial et dogmatique PhD. « Encore heureux, se dit le policier, que ce danger public ait été intercepté par d'adorables enfants soutenus par la lucide sollicitude de la science... Et heureux encore qu'un homme de loi, surchargé de dossiers et rassuré par la dégoulinante compétence de l'expertise, ait aussitôt jeté le monstre dans les limbes de l'inexistence sans rencontrer Gendron comme il aurait pu le faire. Elle a bon dos, la chance! » Il jeta un regard teinté de cynisme sur le calendrier : l'été, paradoxalement, se faisait souvent le complice des amateurs de pénombre. « Ils sont passés avant l'engorgement de l'automne... »

La sérénité du policier s'était effilochée comme un drapeau agressé par la tempête et qui reprend son souffle en s'enroulant le long du mât. Il était prêt à l'admettre : tout dossier rattaché à la santé mentale lui causait des ulcères. Comme enquêteur, il était déconcerté et même scandalisé chaque fois qu'un accusé déclaré inapte à subir son procès aboutissait quand même à la détention. Pas assez intelligent pour qu'on prouve sa culpabilité, assez dangereux pour qu'on le prive de sa liberté. « Puisqu'il n'y a eu ni procès ni présentation de la preuve, se disait-il, comment savoir si l'accusé est une bombe à retardement et mérite l'enfermement? Inapte à subir un procès, mais confié à un établissement qui tient de la prison plus que de l'hôpital... » Pharand rechignait devant ce qu'il ressentait comme une incohérence et se tenait au large de ces pirouettes de haute voltige. Il avait beau se répéter les propos du « prudent procureur » et admettre qu'on *institutionnalise* moins qu'autrefois, Pharand se déguisait en courant d'air lorsque se croisaient les voies de l'enquête policière et celles de l'évaluation psychologique. « Dans l'hypothèse où le dénommé Gendron ne serait pas le danger public dénoncé par ses proches et stigmatisé par un expert, pourrait-il jamais recouvrer ses droits? »

Mal à l'aise comme toujours dans cette zone minée, Pharand avait vite retourné le flamboyant document sur le flanc gauche de la chemise. Le sceau doré bien aplati contre le pupitre, le verso tourné vers le plafond. Il faudrait décortiquer l'épître à doses mesurées, ce n'était pas le plus urgent. Il ne voyait pas en quoi la police était concernée par un jugement d'incapacité.

Intervenant tout de suite après, la lettre de Gendron avait retenu son attention. Succincte et même squelettique, manuscrite, pleine de déférence pour les marges, ajoutant les unes aux autres des lignes impeccablement lisses et horizontales, elle ramenait Pharand à sa première culotte d'écolier. Il faillit mordre son stylo Bic pour mieux renouer avec ses premiers travaux scolaires. Il revoyait l'antique *transparent* qu'imposait autrefois l'apprentissage de la calligraphie et qui l'avait rescapé si souvent. À lire Gendron, la mémoire de Pharand ressuscitait l'expression chère aux religieuses enseignantes et aux personnes âgées: «Une belle main d'écriture!» À plusieurs reprises déjà, Pharand s'était fait une remarque aux allures de paradoxe: la calligraphie était souvent plus belle, plus appliquée, plus attentive chez les personnes ne possédant qu'un bagage scolaire restreint. Comme si l'écriture était d'autant plus respectée qu'on la fréquentait peu. Il n'avait qu'à comparer sa propre minutie, encore craintive et soignée, avec les hiéroglyphes de leur très diplômé procureur.

Esthétiquement irréprochable, la lettre se terminait sur un parafe griffu: Aimé Gendron. Pharand ébaucha une grimace: quel prénom idiot! Comment des parents peuvent-ils prédire que leur fiston méritera l'affection de tous? L'avenir modelé comme une plasticine et figé à perpétuité sur les fonts baptismaux! Pauvres enfants! Aimé, Désiré, Céleste et autres prénoms au jovialisme prophétique engendrent taquineries et souffrances. Pourquoi ne pas laisser l'enfant entrer dans l'existence sans un prénom aux allures de programme et se faire adorer ou haïr selon ses mérites? Pourquoi Nadia, comme si les palmes olympiques allaient obéir à cette anticipation magique et coiffer un jour le poupon braillard? Aimé? Vraiment? Attendons voir!

Dans ce cas-ci, c'était tout vu. Le cher Aimé avait si bien empoisonné l'existence de ses proches qu'on avait diagnostiqué en lui un nœud grouillant de perversions et une aliénation galopante. D'où une déchéance qui équivalait à une condamnation à perpétuité. « Sans libération conditionnelle, se dit le policier, comme si les médias lui avaient posé la question. Qu'est-ce que cela vient faire sur mon bureau? »

Je ne suis pas fou et je le prouverai si on m'en donne la chance. Des démarches sont en cours. Je dois, cependant, me montrer discret, car on peut me transférer dans un établissement complètement fermé. C'est mon argent que veulent mes enfants et rien d'autre. Ils s'objectent aux décisions que j'ai prises parce que cela réduit l'héritage qu'ils convoitent. De fait, j'ai créé une fondation à laquelle j'ai beaucoup donné et dont mon testament assurait la stabilité. Si c'est cela être fou...

Le capital de sympathie du policier s'épuisait. Il n'aimait pas les verdicts aux prétentions d'encycliques, mais il haïssait avec une égale ferveur les accusations aux trajectoires incontrôlées. La lettre respirait la paranoïa et Pharand avait cent fois subi le refrain. Peut-être le PhD était-il compétent et le tribunal, intuitif.

Argumentation poreuse, en tout cas. Pourquoi des héritiers gourmands s'embarqueraient-ils dans un assassinat s'ils contrôlent déjà la succession? Et sur quoi un vieux déclaré sénile ou gâteux fonderait-il une contestation? Dépasser Freud dans la course aux projections ne constitue pas une preuve. Gendron avait cependant raison d'évoquer l'argent. À en juger par les montants qu'il mentionnait presque distraitement, il en avait accumulé assez pour alimenter d'amples convoitises. Heureuse fondation qui pouvait compter sur un mécène paranoïaque!

La calligraphie de Gendron rejoignit la prose du PhD sur le flanc gauche du dossier. Ne restait à lire qu'une page de tabloïd où la (?) documentaliste avait encerclé au fluo rouge un avis de décès. Pharand se figea devant le nom du défunt: Aimé Gendron! La date du décès lui causa un choc supplémentaire: 22 septembre. Le crayon fluo avait souligné la date de la coupure de presse: 23 septembre. À peine une semaine après le SOS. La lettre peinait encore dans le labyrinthe policier à la manière d'un Thésée sans fil d'Ariane que déjà se réalisait la prophétie de Gendron. Peut-être le défunt avait-il été paranoïaque, mais il avait eu raison de flairer l'odeur de la mort.

Aujourd'hui, au matin du 24 septembre, on terminait les adieux au cher Aimé Gendron.

Chapitre 3

D'urgence, Pharand avait lancé son collègue Marceau sur le sentier de la guerre.

« Surtout pas d'incinération! S'il n'est pas trop tard, bloque tout jusqu'à ce qu'on obtienne une autopsie. »

Certes, Pharand savait l'ADN capable, grâce surtout aux résidus dentaires, d'établir une identité même après l'incinération. Qu'elle détecte un empoisonnement et son vecteur, c'était moins assuré. À Marceau de préserver les sources d'information encore accessibles. Quant à Pharand, le mince dossier sous le bras, il se précipita, le téléphone lui servant d'estafette, chez le notaire que le fichier des testaments rattachait à Aimé Gendron. Posé, apaisant comme un animal à sang-froid en période de décompression, Robert Mantha corrobora point par point les informations de la lettre : testament, fondation...

« Monsieur Gendron avait deux enfants, un garçon et une fille. Tous deux dans la trentaine. Leurs relations se sont détériorées récemment. Il venait de modifier ses dispositions testamentaires. Je les avais avisés du changement, conformément à ses instructions. »

Pharand espéra un instant que le notaire assouplirait sa réserve et mettrait de la chair sur ses repères squelettiques. Mantha, sans se dérober, louvoyait entre parler trop et parler trop peu.

« Sa fondation devenait-elle la principale bénéficiaire?

– Elle a déjà reçu des sommes appréciables et elle pouvait espérer la quasi-totalité des avoirs de monsieur Gendron.

– Y a-t-il des propriétés, des immeubles?

– Monsieur Gendron les avait déjà ramenés en capital. Tout n'est pas encore payé, mais les contrats ou les promesses d'achat existent.

– Y compris la maison familiale?

– Oui. C'est un élément important. Dans le Sillery qui regarde le fleuve, l'immobilier est une valeur recherchée.

– Encore la fondation?

– Toujours la fondation.

– L'avez-vous aidé pour l'incorporation de la fondation?

– Oui. »

Ni hésitation ni spontanéité. Pharand brusqua les choses. Le décor, empreint d'un calme monastique, ne lui faisait pas oublier que le crime ne respecte aucune oasis.

« De quelle sorte de fondation parlons-nous? À des fins fiscales? Une bonne œuvre? Une passion pour l'art? »

Si le notaire fut tenté de restreindre Pharand à une question à la fois, il ne le dit pas. On l'imaginait mal, même au temps de sa jeunesse, hurlant sur les barricades ou exacerbant des revendications syndicales. Rondelet, le sel triomphant du poivre, parvenu à une zone de l'existence où la plupart des surprises ont été désamorcées, l'homme de loi s'exprimait avec lenteur et selon l'onction que l'on réserve, à tort ou à raison, aux évêques. Ses mains de prélat, blanches et lisses, apparemment dépourvues d'os, se touchaient du bout des doigts. Pas un geste, aucune vibration dans la voix. Les lobes de son cerveau devaient dialoguer selon l'alternance «d'une part, d'autre part». Pharand aurait juré que le notaire se déroulait mentalement les documents portant son parafe.

«Monsieur Gendron n'avait pas un gros bagage scolaire quand il s'est lancé en affaires. Il a fait fortune comme entrepreneur général, mais il ne s'est jamais senti à l'aise dans les congrès ou les réunions d'affaires. Quand il a mis fin à ses activités professionnelles, il a décidé de donner leur chance à des jeunes aussi mal préparés qu'il l'avait été.

— Des bourses d'études?

— Entre autres choses. Des stages en entreprises. Du soutien à leurs initiatives. Des conseils techniques. Des contacts avec des gestionnaires et des investisseurs.

— Tout cela est coordonné par la fondation?

— Monsieur Gendron n'a jamais fait confiance aux organigrammes.»

Pharand comprenait l'intention et lui trouvait des mérites, mais la logistique lui échappait. N'émergeait encore qu'une silhouette floue du philanthrope. Le notaire l'observait, peut-être pour vérifier la clarté de son résumé, plus probablement, pensa le policier, pour évaluer son vis-à-vis.

« De gros montants?

– Monsieur Gendron n'était ni Rockefeller ni Bronfman, mais c'était substantiel. »

Un temps mort que Pharand laissa s'étirer.

« Il avait déjà consacré presque trois millions à la fondation. Et le principal était à venir. »

Pharand nota le terme : consacrer. Autre silence.

« Il prévoyait ajouter deux millions cette année.

– Est-ce que cela vidait l'héritage? »

Le notaire hésita à peine. Peut-être se laissait-il convaincre de miser sur la transparence.

« Non. Même en complétant sa contribution de l'année courante, monsieur Gendron pouvait encore disposer de plusieurs millions. »

Pharand retint un sifflement qui aurait été grossier. Le silence les enveloppa de nouveau, mais il perdait de son opacité. S'esquissait même un début de connivence, comme se précise une image en quittant le bac du photographe. Pharand réinterprétait les informations ingurgitées, le notaire apprivoisait l'exercice comme s'il songeait à y participer. Sans un mot, Pharand tira de son dossier la lettre manuscrite de Gendron et la tendit au notaire. Il se servit d'un prétexte dont l'autre ne serait pas dupe :

« Vous reconnaissez son écriture?

– Comment ne pas la reconnaître? J'ai lu beaucoup d'actes notariés datant de l'époque où tout se faisait à la main, mais j'ai rarement vu une aussi belle main d'écriture. »

Pharand, qui aurait craint de révéler son âge en utilisant l'expression, envia le naturel avec lequel le notaire se soumettait au verdict du temps. Le visage comme ennuagé, il terminait sa lecture. Il remit ensuite la lettre à Pharand comme si elle lui brûlait les doigts. Les mains formèrent de nouveau leur petite voûte gothique. Il aurait invité le policier à élever son esprit vers le ciel qu'il n'aurait pas eu à modifier le geste.

« Votre opinion? demanda Pharand.

– Il faudrait que je vérifie, mais les investissements dont nous venons de parler ne datent pas de plusieurs années.

– Ce qui veut dire?...

– Il faudra comparer les dates. Si la décision de retirer à monsieur Gendron la gestion de ses biens a été prise avant qu'il signe les chèques qui financent la fondation, il y a peut-être problème. »

De l'accusation dont il venait de prendre connaissance, le notaire répugnait visiblement à parler. Pharand se réserva d'y revenir.

« Corrigez-moi si je vous interprète mal, mais vous croyez qu'on pourrait contester légalement les décisions de monsieur Gendron?

– Au moins certaines d'entre elles, fit sobrement le notaire. Il faudrait comparer les dates.

– Si monsieur Gendron a été déclaré inapte à gérer ses biens avant qu'il finance sa fondation, l'argent reviendrait dans l'héritage, c'est ça? Et les enfants de monsieur Gendron pourraient réduire la fondation à rien du tout?

– C'est une possibilité.

— À partir du même raisonnement, peut-il y avoir annulation du testament de façon rétroactive?

— Les dates seraient encore importantes, mais je ne suis pas juge.»

Il était temps d'aborder l'énorme accusation contenue dans la lettre.

«Vous connaissez les enfants de monsieur Gendron?»

Même formulée de façon neutre, la question n'avait rien d'équivoque. Le hochement de tête du notaire non plus.

«Je ne souhaite pas me lancer dans les supputations, monsieur Pharand. S'il y a des comportements sujets à caution, ce n'est pas à moi de mener l'enquête.

— Vous avez raison», admit Pharand en retournant la lettre de Gendron à son dossier.

«Parler de comportements sujets à caution quand le défunt lance des accusations de meurtre, c'est quand même un assez bel euphémisme», se dit le policier.

«Je précise une chose, monsieur Pharand, interjeta le notaire qui, jusque-là, s'était borné à accueillir ou à neutraliser les questions. Les enfants de monsieur Gendron ne m'ont confié aucun mandat. Leur avocat me l'a rappelé dès la mise sous tutelle de monsieur Gendron. Ses mandants considèrent comme nulles les décisions de leur père.

— Y compris le nouveau testament?

— C'est leur principale contestation.

— On en revient aux dates?

— On en revient aux dates, mais aussi au fait

que monsieur Gendron n'est plus là pour démontrer sa santé mentale.»

Pharand avait eu le temps de se faire une opinion. Ni Aimé Gendron ni le notaire n'avaient voulu créer une fondation aux visées malhonnêtes. Sur un autre terrain, le policier en arrivait cependant à une impasse: une fois qu'une personne est considérée, pour dire les choses brutalement, comme folle ou aliénée, quels recours lui sont encore ouverts? Comment un homme placé sous tutelle peut-il combattre une captation d'héritage?

Chapitre 4

À l'arrivée de Marceau chez le thanatologue, les cendres d'Aimé Gendron dormaient déjà dans l'urne. Adieu le regard sur le corps du défunt pour se l'imaginer vivant, adieu l'autopsie.

« L'urne est au salon. La famille achève de recevoir les condoléances. D'anciens employés et d'ex-associés du défunt. La porte est ouverte. À votre droite.

– Vous êtes toujours aussi rapides? »

Jean-Jacques Marceau, qui aurait pu servir de modèle aux dessinateurs de chars d'assaut, aimait les questions qui claquent comme des directs à la mâchoire. Étant donné son gabarit et sa voix sans lézarde, presque tous s'inclinaient devant l'intimidation. Cette fois, il en fut pour ses frais. Lisse comme le silex qu'aurait léché une vague multiséculaire, l'individu incarnait l'art de l'impénétrable placidité. Il n'était pas plus ému en scrutant les viscères d'un macchabée que face au chagrin des veuves et des orphelins. Alors, les impatiences d'un policier...

« La famille tenait à ce que tout se fasse vite et bien. Nous avons suivi les instructions du liquidateur. »

La chemise était ouverte sur le bureau et le

thanatologue en effeuillait les pièces d'un index magistral. Demeuré debout pour en imposer davantage, Marceau avait une vue plongeante sur les documents. Mise en scène futile. L'autre le jaugeait comme s'il évaluait de façon préventive la largeur et la longueur de son éventuel cercueil. Ses explications se déroulaient nettement sous le point de congélation.

« Regardez. Constat médical. Mort naturelle diagnostiquée par le médecin traitant. Signature du fils agissant comme liquidateur. Signature de l'autre enfant du défunt. »

L'homme ne gaspillait pas les verbes.

« Rien du notaire?

– Pas nécessaire. Le défunt était sous tutelle et les tuteurs avaient signé en plus du liquidateur. »

Marceau cherchait ses marques. Le corps du défunt était parti en fumée. Aimé Gendron aurait englouti les poisons les plus corrosifs que ses cendres n'en dénonceraient aucun. Coupables ou non, les enfants se répartiraient les avoirs du paternel en portant un toast moqueur à la santé des fins limiers en panne dans le désert. Il engloutit son calepin dans la poche intérieure de son veston, marmonna un merci symbolique auquel le thanatologue réagit en proportion et quitta le bureau en pressentant la réaction de Pharand.

À peine l'enquêteur avait-il quitté l'aimable bloc de glace qu'il se rappela l'invitation que l'autre avait formulée machinalement. « Pourquoi pas un coup d'œil sur les jeunes millionnaires Gendron? » À la porte de chaque salon, une affichette au lettrage sobrement macabre révélait l'identité du défunt. Aucune difficulté pour localiser la salle où, à défaut d'une dépouille maquillée rendant ou non justice au défunt, trônait l'urne qui ridiculisait les efforts policiers. À son habitude, Marceau portait complet-cravate et son côté Beau Brummel dissimulait son métier d'enquêteur. Du moins l'espérait-il. Il fit quelques pas dans une salle où les draperies cossues et lourdaudes attestaient que le défunt méritait une loge dans l'au-delà des nantis. Un cercle de comploteurs y aurait élaboré des attentats à intelligible voix qu'aucun écho n'aurait filtré à l'extérieur. Il n'y avait pas foule. Un quatuor dans un coin, une femme seule à l'autre extrémité du salon.

« Bonjour! Vous étiez un ami de mon père? »

Quelqu'un s'était détaché du quatuor. Traits anguleux, regard soupçonneux, maintien digne d'un musée de cire, cerbère encore moins conciliant que son ancêtre de légende, la femme venue à sa rencontre menait de tous ses pores le bon combat contre les approches de la quarantaine. Un regard d'usurier chez une femme presque au mitan de la vie. Elle exigeait le maximum de ses talons acrobatiques, mais il s'en fallait de plusieurs centimètres pour que ses yeux d'un gris froid soient de niveau avec ceux de Marceau. Pas de quoi, cependant, la rendre timide.

« Non, je ne le connaissais pas. Mais j'ai entendu parler de sa fondation... »

Marceau n'était pas fâché de son esquive. Il ne pouvait endosser un pseudo-trompeur, car l'enquête, si enquête il y avait, révélerait le mensonge, et le comité de déontologie policière détestait les usurpations d'identités. Par contre, présenter son badge dans un salon funéraire lui aurait paru, malgré l'avantage du raccourci, contraire aux usages... Son astuce fit long feu. Sa réponse déplut à la fille de Gendron dont le visage évacua l'aménité et même la politesse.

« Vous n'avez pas le physique de l'emploi! »

Marceau en fut déstabilisé. Il entretenait sa carrure avec tant de soin qu'il savourait chacun des compliments qu'elle lui valait, mais il ignorait tout du physique que l'autre associait à la fondation de son père. Il n'avait d'ailleurs aucune notion des rêves de la fondation. Heureusement, son interlocutrice ne demandait pas à être relancée. Pas de temps à perdre avec des minables. En faisant référence à la fondation, Marceau s'était, sans savoir pourquoi, identifié à cet immense et méprisable troupeau. Froide et tranchante, la fille Gendron, pivotant sur ses aiguilles, l'avait aussitôt banni de son champ de vision. Sous le maquillage élaboré et coûteux, nulle trace de chagrin. Elle s'était pourtant présentée comme la fille du défunt.

« Je vous présente mes condoléances », tenta Marceau.

Elle était déjà loin lorsqu'elle cracha son ultime venin.

« Peu importe ce que vous attendiez de la fondation, ne comptez plus sur elle. J'espère que la Carlotta ne vous avait rien promis. »

Le silence de Marceau dissimula piteusement

sa totale incompréhension. La fille de Gendron rejoignit le clan qui, depuis le coin du salon, avait suivi leur dialogue disloqué. Vindicative jusqu'à la lie, elle pointa de loin un index guerrier vers la femme seule à l'autre extrémité de la pièce. Un crotale aurait admiré le geste.

« Elle est là, votre Carlotta. »

Aussi bien profiter de la mise au pilori, se dit Marceau. Il s'approcha de la femme ainsi stigmatisée. Au chagrin qui noyait son pur visage au teint foncé, c'est elle que Marceau aurait spontanément identifiée comme endeuillée. De toute évidence, une étrangère.

« Vous êtes Carlotta? Mon nom est Jean-Jacques Marceau.

— Étiez-vous un ami de monsieur Gendron? »

Même question, autres sentiments. Marceau, à Carlotta, déclina son identité. À quoi bon d'autres mystères? Elle ne manifesta aucune surprise, mais esquissa un reproche.

« Pourquoi arrivez-vous si tard?

— Nous ne savions rien. Je vous présente mes condoléances. »

Il mesura l'incongruité de son geste. Il ignorait tout de cette femme et, pourtant, il la sentait plus éprouvée par le décès de Gendron que sa fille. Un regard vers l'angle opposé du salon consolida son impression : la fille de Gendron, l'œil sec et hargneux, s'acharnait à deviner le lien entre la fondation et ce mastodonte.

« Il a trop attendu. Il ne pensait pas que ça irait si vite. »

Marceau manœuvrait à tâtons. Cette Carlotta était manifestement assez proche de Gendron pour en connaître les craintes. Jamais, se dit-il, elle ne les a considérées comme imaginaires. Aux yeux de la famille Gendron, cette jeune femme méritait la haine la plus affichée, mais pourquoi exactement? Il avait encore dans l'oreille la sentence de mort prononcée contre la fondation par la fille de Gendron. Aucune équivoque. Y avait-il, entre Gendron et Carlotta, plus qu'un lien professionnel, une liaison à faire monter la famille aux barricades?

« Que devient la fondation? » demanda-t-il.

La question en fauchait large, mais le policier avait besoin de repères. Le regard, déconcerté et humide, contrastait avec celui que l'autre lui avait jeté. Un pitoyable désarroi s'y lisait au lieu de la méchanceté triomphante.

« C'est fini. Bien fini. »

Déçu, Marceau espérait un supplément de précisions.

« J'ai été imprudente. Je comptais tellement sur monsieur Gendron que j'ai fait des promesses... »

Elle poursuivait en solitaire sa traversée du désert. À Marceau de suppléer à une rigueur dont elle semblait incapable. Elle s'exprimait avec un accent marqué, mais avec netteté. La grammaire tenait le coup, la fluidité hésitait parfois. Son français découlait sans doute d'un Berlitz récemment ingurgité. Cet apprentissage était-il une exigence de la fondation ou une fleur au philanthrope qui la soutenait? Qu'est-ce que Gendron avait espéré de cette femme? Et elle de lui?

« Il faudrait m'expliquer la situation le plus tôt possible. Voici ma carte. Appelez-moi. Dès aujourd'hui s'il y a moyen. Au besoin, je passe vous prendre. »

Il ne voulait ni l'affoler ni dramatiser la situation, mais si le décès de Gendron avait reçu un coup de pouce, trop de prudence valait mieux que pas assez. Méfiant par réflexe policier, il craignit qu'un entretien plus long exaspère la tribu Gendron et alourdisse encore sa détestation de la jeune femme. Coupant court, il abandonna ce beau monde à ses ruminations. Au moment de lui refiler sa carte, il avait érigé son dos massif en écran contre l'inquisitrice et ses acolytes. Peut-être avait-il réussi à dissimuler son geste. Carlotta, complice, avait saisi le carton d'une main agile et acquiescé d'un battement d'yeux. Quand il gagna la sortie après une inclination de la tête en direction du quatuor, il sentit les regards vriller son dos comme un essaim de fléchettes.

Marceau avait enregistré dans sa rétine les visages du groupe. Si enquête il y avait et surtout si elle débouchait sur une contestation judiciaire, sa mémoire pourrait exhumer des images précises. Dédaigneux de toute décence, ces trois femmes et cet homme n'attendaient que d'être seuls pour fêter le deuil. L'homme était sans doute le fils Gendron. Qui étaient les deux autres femmes? Pour quelle raison Carlotta était-elle venue dans ce salon subir leur agression? Il lui tardait de recevoir ses confidences. Seulement par intérêt professionnel? Pas sûr...

Chapitre 5

«Comment font les enquêteurs des compagnies d'assurances quand les familles présentent des réclamations sans fournir le cadavre? demanda Marceau. Entre la fille Gendron et un barracuda, je choisirais le poisson, mais notre prudent procureur va piquer un infarctus si tu lui demandes une accusation de meurtre contre les héritiers. On n'a rien!»

Rencontre au sommet entre le grisonnant André Pharand et le bouillant Jean-Jacques Marceau. Le plus jeune avait rondement décrit l'impasse où agonisait l'enquête et avait extrait de son aîné un profil approximatif de la fondation. L'échange les laissait assez déprimés. Gendron avait prédit sa mort et placé ses enfants dans la mire de la police, mais nul crime ne pouvait encore leur être imputé. Que des soupçons. Marceau exhalait une fulminante antipathie à l'égard de la jeune génération Gendron, et alors? Comme d'habitude, ils soulèveraient chaque pierre, mais ils détestaient tous deux s'agiter seulement au cas où.

«Les assureurs ne jouent pas avec le même chronomètre que nous, répondit Pharand, toujours cramponné à ses comparaisons sportives. Ils ont droit à pas mal plus de périodes supplémentaires! S'il n'y a pas de cadavre, ils peuvent attendre des années avant de payer. Dans notre cas, deux jours de retard et on n'a plus de munitions. Ça me brûle quand on rit de moi...

– Relaxe, André! Pour une fois, il n'y a pas de boss ou de journaliste qui nous pousse dans le dos. Tu as le temps de te bâtir une série toute neuve d'intuitions géniales. »

Le sourire vint feutrer la taquinerie. Heureusement, car Pharand affichait son plus mauvais poil, et l'allusion à ses théories parfois hasardeuses ne le lissait pas dans le sens recommandé. Les calepins des deux policiers attendaient gueule ouverte l'élaboration des angles d'attaque, le café avait renoncé à stimuler les neurones, les stylos tuaient le temps en clics stériles. L'enquêteur assagi par l'âge et celui qui n'en était pas là avaient dressé la liste des personnes à interroger, amorcé sans ferveur ni résultat les vérifications de routine, soupesé quelques incertitudes. Pharand *jouait le livre* en attendant il ne savait trop quoi.

Jusqu'à maintenant, les médias, distraits, ignorants, hésitants ou en surplus de manchettes, s'étaient abstenus de dramatiser le décès. En revanche, les sommes en cause et, plus encore, celles qu'on imaginait, avaient attiré l'attention des initiés. Leurs calculs intéressaient déjà les gourous ès contorsions. La candeur avait déguerpi et la curiosité policière se brisait les dents contre la méfiance. Si les policiers pouvaient espérer les confidences des fidèles de Gendron, l'innombrable clan des profiteurs se rangeait, jusqu'à correction du vent, du côté de ceux qui avaient saisi les cordons de la bourse. L'enquête s'agitait sur le mauvais versant de la cause, celui d'un défunt soupçonné de déséquilibre mental et placé sous tutelle par ses enfants. Tutelle injustifiée? Cela n'était pas établi, le meurtre encore moins. Selon l'adage cynique, ceux qui savaient ne disaient rien et les verbeux ne savaient rien.

Marceau, qu'aucune dépense d'énergie n'aurait rebuté, s'épuisait dans l'inaction. Depuis que la carnassière Gisèle l'avait écrasé de son mépris au salon funéraire, il ruminait sa revanche.

« Ça me met en beau fusil! Tu as deux vampires qui se pourlèchent les babines en dégustant leurs millions et qui t'envoient paître sur le macadam. "Asseyez-vous et laissez-moi le temps d'appeler mon avocat..." Et, comme par hasard, on se retrouve avec des farceurs qui te lancent trois questions contre une des tiennes. »

Pharand estima urgent de requinquer son Marceau. Il testa le terrain. Prudemment.

« Il y en a au moins une qui est prête à parler. Ta Carlotta. »

Marceau devait traverser une bonne lune, car son pelage ne se hérissa pas. D'une vigilante susceptibilité, il aurait, en temps normal, revendiqué l'exclusivité de son « contact ». Ce ne fut pas le cas.

« Elle a même hâte de vider son sac. Ça ne faisait pas dix minutes que j'étais sorti du salon funéraire qu'elle faisait dring-dring. Elle attend que je fixe le rendez-vous.

— Chez elle?

— Ça nous en dirait plus long. Et je m'attends à bien des larmes. Ça coule mieux à domicile.»

Misogynie ou délicatesse? Pharand n'osait choisir.

«La réaction d'une maîtresse?»

Pharand dorlotait son Marceau. «J'entre dans son territoire, mais je lui demande de m'initier.» En vieux pro, il avait lui-même sensibilisé son poulain au culte des contacts. «Un policier vaut ce que valent ses sources. Développe les tiennes et garde-les pour toi. Tes meilleures sources vont te parler à toi et à personne d'autre.» Marceau avait si bien digéré la leçon qu'il grondait en mère ourse dès qu'on s'approchait de ses *gorges profondes*. Dans le cas de Carlotta, une informatrice qui, dès mention de son nom, allumait des feux de brousse dans l'œil de Marceau, même le doigté habituel n'aurait pas suffi. Pour que s'apaise l'épiderme, il fallait que Marceau tienne à la faire admirer plus qu'à l'admirer en solitaire. Soucieux de ne pas taquiner le volcan, l'aîné laissait donc le cadet évaluer la relation entre Gendron et Carlotta. Sacrifice assez léger, car Pharand n'avait pas eu la vision béatifique que Carlotta semblait procurer. Marceau en profita.

«C'est bête à dire, mais je ne la vois pas en amour avec Gendron. Je n'aime pas autant que toi jouer au psychologue, mais je dirais que non.

— C'est plutôt fort, se permit Pharand. Cette fille-là sait que la tribu Gendron veut la crucifier, mais elle se traîne au salon funéraire. Encore chanceuse que tu sois là avec ton épaule large comme un rempart. Ils pouvaient la lyncher. Tu t'immoles pour un amant, pas pour un patron. »

Cela ne contredisait pas, loin de là, le sentiment de Marceau.

« Moi non plus, je ne comprends pas. Est-ce qu'elle voulait tester l'humeur de la famille, rescaper la fondation par la respiration artificielle? Je ne le pense pas. Elle avait plus de peine que la fille de Gendron, ce qui n'est pas difficile, mais elle m'a parlé de la fondation et de ses promesses plus que de son ancien patron. Elle doit être mal prise.

— Jolie? »

Question futile, mais Pharand y tenait. Les feux de brousse coururent en délire dans les iris de Marceau.

« Mets-en! Moins grande que dans mes rêves, mais des yeux de chambre à coucher et la silhouette qui va avec... »

Les mains de Marceau modelaient une amphore stratégiquement pourvue d'attraits féminins. Il embrassait le bout de ses doigts à la manière d'un séducteur italien :

« Et une peau dorée à point!

— Bronzage? »

Pharand, l'ombre d'un sourire aux lèvres, tisonnait l'euphorie de Marceau. Partie gagnée, car l'autre était encore plus pressé de présenter sa merveille!

« Non, non, pas de lampe solaire ni de Coppertone. Disons "miel de trèfle". Pas noir ni brun, mais... »

Marceau, les yeux effervescents, cherchait ses termes.

« Donne-moi un quart d'heure, conclut Pharand. Je parle au médecin qui a signé le constat de décès et on y va. »

Marceau empoigna son téléphone. Son collègue nota, la langue lui gonflant la joue, qu'il composait le numéro sans faire appel à son carnet. « Beau compliment à faire à une femme! » Alors qu'il redoutait de devoir patienter, Pharand obtint sans délai la communication avec le médecin dont les coordonnées apparaissaient dans les documents du thanatologue.

« Vous connaissiez bien monsieur Gendron?

– Nos contacts ne remontent pas loin, précisa le médecin. Il m'a consulté une ou deux fois avant la mise sous tutelle et je suis allé le voir une fois dans son nouvel appartement.

– Des urgences?

– Non, pas des urgences, mais des inquiétudes. Ce n'était pas un homme âgé. Soixante et un, soixante-deux ans...

– Soixante-trois, précisa Pharand.

– C'est ça, accepta le médecin sans chipoter, soixante-trois ans. Pas de cancer ni de diabète. Simplement usé. Très usé. Ce n'était pas un colosse et, en plus, il a dû courir toute sa vie d'un chantier à l'autre. Ce n'est pas de mon domaine de me prononcer là-dessus, mais il avait terriblement peur de retomber dans la pauvreté. Il était tendu, stressé, insomniaque. Le genre de personne que la retraite tue plus vite que le travail.

— Était-il incohérent?

— Lui? Pas d'après moi. Quand j'ai appris sa mise sous tutelle, j'ai été surpris. Il voulait contester la décision, mais il craignait que ce qu'il appelait sa détention ne devienne pire. Est-ce que cela se passait seulement dans sa tête, je ne le crois pas. »

Ce n'était pas son domaine, mais il n'appartenait pas à la race des contemplatifs. Il aurait exprimé des opinions aussi tranchées si on l'avait interrogé sur les tendances sunnites ou sur les Tigres tamouls. Pharand apprécia pourtant que le médecin ait senti la fragilité de Gendron et qu'il étoffe avec fermeté la description du défunt. Après tout, le policier n'avait lui-même qu'une courte lettre pour fonder son portrait du défunt et il le faisait sans remords. De fait, combien en avait-il connu qui, de leur penthouse sous le ciel, observaient le macadam à leurs pieds en redoutant un retour à la case départ? Bien qu'à peine esquissé, le jugement du médecin se tenait à des années-lumière des fracassantes certitudes du PhD et Pharand lui en savait gré. Gendron était usé, fébrile, inquiet, mais la mort ne pesait pas sur lui comme une menace immédiate. S'il constituait un danger, c'était pour lui-même.

Pharand regrettait un peu d'avoir recouru au téléphone. Un tête-à-tête lui aurait confié l'âge du médecin, son style, son souci des relations humaines. Déjà, la disponibilité du praticien plaidait en sa faveur. Le préjugé se fit encore plus favorable quand le policier s'informa des circonstances du décès. Un détour retarda la réponse, sans la noyer.

« Je lui avais conseillé de faire appel à un service d'infirmières à domicile. Pour le rassurer plus que par véritable besoin. Pour que quelqu'un le visite trois ou quatre fois par semaine, vérifie sa pression, dose ses médicaments... Il ne se décidait pas, puis, un bon jour, il m'a dit que ses enfants lui avaient trouvé quelqu'un. De fait, c'est cette infirmière qui m'a appelé quand il est décédé. Elle venait de le trouver mort dans son lit. Je n'ai eu qu'à faire le constat.

— Elle devait quand même vous tenir au courant... »

C'était une question et le médecin ne s'y trompa pas.

« Une femme d'expérience. Du métier et de la poigne. Je n'ai eu qu'à lui indiquer les soins à donner, elle savait quoi faire. Elle n'avait aucune raison de m'appeler. Une infirmière comme je les aime. »

La phrase assortit d'un bémol l'opinion que Pharand se formait du médecin. « Comme si l'ultime mérite professionnel consistait à ne pas le déranger! » Il exigeait des infirmières les qualités qui lui rendaient la vie facile, alors qu'il était peut-être lui-même le médecin que les infirmières détestent : directif, pontifiant, peu porté à l'écoute... « Gare au pendule, se dit le policier : tu le canonisais il y a un instant... »

Refoulant ses commentaires vers la sphère intime, Pharand s'enquit des coordonnées de l'infirmière. Un nom et un numéro de téléphone se logèrent dans le calepin de l'enquêteur. Que

Gendron ait admis dans son intimité la personne suggérée par les vampires qu'il avait engendrés, voilà qui surtaxait la logique. Le notaire et le médecin rendaient pourtant un seul témoignage : c'est d'eux qu'émanait la suggestion. D'où l'urgence de scruter l'embauche de Chantal Doiron, infirmière autonome.

« Quel métier de paranoïaque! » admit Pharand sans le moindre remords.

Chapitre 6

Marceau n'avait pas exagéré : Carlotta battait tous les aphrodisiaques comme stimulant des phantasmes masculins. Pharand se dispensa pourtant de l'endossement presque lubrique que Marceau sollicitait du regard. Stoïque à la mesure de ses moyens, la jeune femme éveillait la sympathie et la pitié plus que la libido. À l'observer dans son décor et sa tenue vestimentaire, les policiers découvraient le caractère exotique de la fondation. Sachant, grâce au notaire, les sommes versées par Gendron à la fondation, Pharand sursauta devant l'inconfort de l'appartement où elle les recevait. Niché dans l'abrupt de la rue Scott, à l'endroit où des marches se substituent au trottoir pour freiner l'emballement irrésistible des jambes, le petit appartement tenait du cubicule d'étudiant plus que du loft snobinard. La mise vestimentaire, presque en deçà de la sobriété, était au diapason. Si Gendron avait subi un envoûtement, ce n'était pas celui d'une croqueuse de diamants. D'entrée de jeu, Marceau s'attribua le rôle de contrôleur de la circulation.

« Mon collègue, André Pharand. Je sais votre prénom, Carlotta, mais pas grand-chose de plus.

– Carlotta Alvarez, répondit-elle en tendant la main à Pharand, tandis que Marceau se contentait d'un signe de tête. Asseyez-vous. »

Elle indiquait les chaises près de la petite table de cuisine.

« Je comprends le français, fit-elle avec un sourire chiffonné par le chagrin, mais ne parlez pas trop vite ! »

Elle ouvrait la porte aux questions et même les devançait.

« Alvarez est le nom de ma mère. Il est plus facile à prononcer pour les Argentins. Mon vrai nom est un nom guarani, mais les gens ne le retiennent pas. »

Profondément dépaysé, Marceau hésitait à s'avancer.

« Vous êtes Guarani ou... Argentine ? On dit Argentine ? »

Le fin rideau humide qui brouillait son regard laissa quand même filtrer le timide équivalent d'un arc-en-ciel.

« Les deux. Je suis Guaranie et Argentine. C'est comme vous : vous pouvez être Québécois et Canadien !

– La Guaranie est-elle une province de l'Argentine ? s'enquit Marceau.

– Non, dit-elle sobrement. Les Guaranis sont un peuple et ils ont leur langue, mais ils n'ont pas de pays à eux. »

Pharand chercha la formule :

« Guaranie de cœur et Argentine de passeport ? »

Ni confirmation ni dénégation. Le calepin de Pharand nota « belle, jeune, réservée. Limpide? ». Déjà, Marceau reprenait les commandes.

« Deux choses, Carlotta. Comment avez-vous connu monsieur Gendron et que fait la fondation dont vous vous occupez?

— Je l'ai rencontré il y a deux ans. Un peu plus de deux ans. Il faisait un voyage en Amérique du Sud et il était passé par Posadas pour visiter les ruines des anciennes *reductiones* jésuites. Nous avons beaucoup parlé des Guaranis. Quand il est revenu à Québec, il m'a écrit. Il voulait créer une fondation et me demandait de m'en charger.

— Quel est le lien entre la fondation et les Guaranis? demanda Marceau.

— C'est un lien très fort, fit Carlotta en serrant l'un contre l'autre deux petits poings ocrés. La fondation, elle veut aider les jeunes Guaranis. Pour cela, monsieur Gendron voulait quelqu'un qui parle guarani et qui connaît le peuple. »

Pharand nageait dans l'ambivalence. La jeune femme était encore plus séduisante que prévu, mais, justement, Marceau la dorlotait en grand frère attendri. L'enquêteur en lui faisait relâche. Il avait tout du Valentino dégriffé; il tenait à plaire plus qu'à conquérir, à charmer plus qu'à posséder. Pas de risque de surchauffe, mais ses mamours jetaient une torpeur sur sa vigilance. S'ils avaient tenu à rencontrer la jeune femme, c'était pourtant dans le cadre d'une enquête sur une mort suspecte. Belle et convaincante, Carlotta était aussi et surtout, Pharand se le répétait, celle qui tenait les cordons de la bourse et distribuait les millions de Gendron. De quoi attirer les convoitises, de quoi induire en tentation d'interception. Combien de vertus ont craqué pour beaucoup moins et combien de crimes ont profité de moins favorables conditions? Confier des millions à une jeune femme forcément novice en matière de gestion, cela ouvrait-il la porte à la magouille des uns ou des autres? L'attention s'imposait, mais il ne serait pas facile de court-circuiter Marceau. Celui-ci n'échappait d'ailleurs pas les commandes de la conversation.

« C'est vous qui choisissez les jeunes?

– Oui, je les choisissais... C'est fini.

– Peut-être que les enfants de monsieur Gendron vous laisseront continuer... »

Marceau répétait la question au profit de son coéquipier, pour que Carlotta fasse sonner le glas pour lui aussi.

« Ils ne voudront jamais. Ils veulent, comment dites-vous?, ramener l'argent qui est parti...

– Récupérer l'argent déjà distribué? » suggéra Marceau.

Elle eut un signe de tête à la place des mots bloqués dans sa gorge. Elle peina pour compléter sa pensée.

« Je n'ai plus d'employeur. Les enfants de monsieur Gendron m'ont dit que ma signature ne valait plus rien et que je devais retourner dans mon pays. »

Quitte à se faire reprocher un excès de prudence, Pharand devait encadrer la suite.

« Nous aurons des questions à vous poser au

cours des prochains jours. Si l'on exerce des pressions sur vous pour accélérer votre départ, tenez-nous au courant... »

L'intervention de Pharand brisa en accents circonflexes les noirs sourcils de Marceau. Cherchait-il à interdire le voyage à Carlotta? La voyait-il comme un témoin important ou dans un rôle imprécis et moins glorieux?

« Je comptais me rendre au Paraguay dans les prochains jours pour... tout arrêter.

— Pourquoi le Paraguay? demanda Marceau. Je croyais que vous veniez de l'Argentine...

— L'histoire des Guaranis est compliquée. Il y a des siècles, les Jésuites ont essayé de protéger les Guaranis contre les conquérants européens. Mes ancêtres circulaient beaucoup. Les Jésuites ont organisé des villages, des *reductiones* dans trois pays: l'Argentine, le Paraguay et le Brésil. Monsieur Gendron m'avait donné la permission d'aider surtout les jeunes Guaranis du Paraguay.

— Pourquoi?

— Surtout à cause de la langue. »

Ni Marceau ni Pharand n'étaient au diapason.

« En Argentine, la seule langue officielle, c'est l'espagnol. Au Brésil, c'est seulement le portugais. Au Paraguay, il y a deux langues officielles: l'espagnol et le guarani.

— Vous voyez, résuma Pharand, qu'il faudra nous expliquer tout cela. Nous vous laissons régler les affaires urgentes, mais tenez-nous au courant de vos absences, surtout si elles doivent se prolonger ou se répéter. »

Marceau tenait à une dernière question:

«Combien d'argent avez-vous déjà versé?

– Presque deux millions de vos dollars. Et j'ai fait des promesses...»

Sa mine piteuse en faisait une fillette prise en faute. Le chiffre correspondait en gros à ce que le notaire avait révélé à Pharand. Mais pourquoi cette insistance sur les promesses? Avait-elle outrepassé son mandat? Les enfants Gendron avaient-ils localisé une faute dont Carlotta aurait à payer les conséquences?

Chapitre 7

« Bordel, André, tu ne soupçonnes quand même pas cette enfant-là de se sauver avec la caisse? »

À peine dans le siège du conducteur de leur voiture banalisée, Marceau avait expulsé son trop-plein comme un geyser fatigué de se censurer. En paroles, mais aussi en exigences plus féroces que d'habitude sur le volant et les pneus. Tourné vers le profil durci de son coléreux compagnon, Pharand attendit que s'épuise l'éruption. La voiture roulait en direction de la porte Saint-Jean.

« Petit appartement, fit-il avec une fausse désinvolture lorsque la voiture calma son souffle à un feu rouge, mais ça ne sent pas la solitude. D'après toi? »

Marceau hésita assez pour que l'automobiliste derrière lui manifeste sa culture par un rageur coup de klaxon. Envisager que Carlotta ait une vie sentimentale bien à elle déplaisait-il à ses hormones? Pharand se méfiait trop de l'épiderme de son comparse pour l'accuser, même sur un ton badin, de jalousie ou de possessivité. Il fallait pourtant ramener à l'avant-scène les nécessités d'une enquête rigoureuse. Déjà, Marceau réexaminait son comportement.

«Quand des millions se promènent, il y a toujours des gens que ça intéresse. Peux-tu vérifier si elle vit seule? Si elle voyage avec quelqu'un? Quel genre de visa ou de permis de séjour elle a? La routine et un peu plus. Pense aux millions.»

Marceau quittait les hautaines falaises de la susceptibilité. Quand le métier le confrontait, il cédait avec une constante honnêteté. Tout au plus se permettait-il l'ombre du commencement d'un soupçon de retard!

«Je m'en charge. Et toi?

– Ce n'est pas mon sport favori, mais je vais ramer sur Internet. Il doit bien y avoir quelques milliers de pages sur les Guaranis. Ta belle brune a au moins deux noms. Elle vient de l'Argentine, mais elle transfère les fonds au Paraguay. Elle se laisse terroriser par des enfants gâtés dont Gendron a dû lui faire le portrait. Quand j'aurai compris quelque chose dans l'histoire des Guaranis, je serai peut-être capable d'évaluer les influences qu'elle subit. Je sens que ma Pierrette va lire tranquille ce soir. Internet, pour moi, c'est palpitant comme interviewer un dictionnaire. En attendant, reprends donc René-Lévesque vers l'ouest. Je veux rencontrer l'infirmière de Gendron. Si ça fonctionne, tu me déposes à la porte et je t'appelle après sa confession.»

Marceau esquissa un sourire rasséréné. Bien avant que Pharand admette qu'Internet existe pour des humains presque normaux, lui pagayait dans le cyberespace. Tous les prétextes lui étaient bons pour braquer sous le nez de son *vieux collègue* les chiffres et les témoignages démontrant que la fièvre d'Internet s'attaquait même aux nonagénaires. Il lui offrait un siège dans le wagon de queue. Le message de Pharand rejoignit Marceau cinq sur cinq : si le croulant s'aventurait sur la Toile, c'est en humble repenti qu'il demanderait conseil tout à l'heure aux générations moins décrépites. Et l'équilibre se rétablirait. Donnant-donnant. Le plus jeune scruterait d'un œil moins béat les faits et gestes de son impeccable déesse et le plus âgé quémanderait l'aide du benjamin pour accélérer son noviciat informatique.

Pharand fut confirmé dans la justesse de son calcul quand Marceau, le poil assagi, lui servit un commentaire extrait du plus loyal de sa conscience :

« Tu as raison, André. Mais, bon Dieu, qu'elle est belle ! »

Plein de défauts, ce Marceau, mais une sincérité inoxydable.

Pendant que s'établissait le contact téléphonique avec l'infirmière et que l'automobile les rapprochait des rues Holland et Marguerite-Bourgeoys, les deux policiers, succombant à leur penchant professionnel, balayaient du regard édifices, piétons et véhicules. Quelque chose en eux imitait la sautillante curiosité des touristes, plaisir et détente en moins, entreposage de données en plus. Pharand *sentait* moins bien le secteur de Saint-Sacrement que le Vieux-Québec ou le quartier Saint-Jean-Baptiste, mais il en décodait assez correctement les symboles. On n'y trouvait pas, contrairement au Québec emmuré, les sédiments culturels accumulés à petites touches, mais une certaine patine s'efforçait de marquer le décor. Pharand détestait de toute son âme l'inhumain terrain de stationnement qui étouffait l'université Laval comme le désert assiège l'oasis. Son bitume empêchait l'émergence de quartiers peuplés, animés, agités par la faune étudiante. Au lieu d'agir comme un levain dans un milieu vivant, l'université enfermait ses cours dans un ghetto physiquement laid et tari. Jusqu'au bout du regard, les environs payaient le prix de ce crime autrefois commis contre l'urbanisme. Pendant que Marceau ruminait la suite des choses et réconciliait en lui le policier et l'admirateur, Pharand menait de front la conversation avec l'infirmière et ses manies de sociologue du dimanche. Ce qui s'imposait à sa vue, c'était un peuplement hybride opposant et mêlant banlieue et étalement urbain. Ni la culture et l'effervescence de la ville ni le calme et les beautés de la campagne. Il ne se voyait pas y loger ses vieux jours. « Est-ce que Pierrette, qui rêve d'une retraite tout en fleurs et en arbustes, troquerait notre appartement et son balcon symbolique contre vingt mètres carrés d'herbe le long d'un trottoir insignifiant? Pas sûr! » Le rendez-vous une fois fixé avec l'infirmière, il suffit d'une minute pour que Marceau trouve l'adresse exacte. Ils se reverraient au même endroit une heure plus tard.

L'infirmière, qui avait compensé par une journée de sommeil sa nuit de veille auprès d'un patient, le reçut cordialement et lui proposa un café.

« Mon café du réveil! Vous ne m'avez pas réveillée, mais c'est tout juste. Il me faut ma drogue. »

Le policier ne réagit pas, mais il n'entendait jamais ce mot sans une crispation. Il accepta, même s'il ressentait peu d'engouement pour la caféine. Ce serait une autre des tasses de trop qu'il engloutissait par manie. Une concession sociale plus qu'un véritable besoin.

« Vous voulez que je vous parle d'Aimé Gendron? Un monsieur charmant et civilisé, mais c'est à peu près tout ce que je sais de lui. »

Grande, mobile, énergique, Chantal Doiron maîtrisait l'art de sauter du sommeil à une effervescence contrôlée. Quelques minutes à peine après un réveil hors normes, elle irradiait la vie par tous ses pores. Pas d'agitation à vide. Que du nerf, du muscle, du dynamisme. La maladie devrait se sentir intimidée à son approche. Au moins le mitan de la trentaine, sinon une naissante quarantaine, d'après Pharand, et une solide expérience des humains. Peut-être aussi quelque chose du carnassier. Elle évoquait l'efficacité plus que les soins maternels, la sécurité plutôt que la compassion. La cafetière émettait ses borborygmes, tasses et soucoupes attendaient sur la table.

« Je me fais une petite rôtie. En voulez-vous? »

Elle n'avait pas attendu la permission, car l'agréable odeur du pain qui grille régnait déjà. Il déclina l'offre. Il avait beau être familier de la violence et du sang, il ressentait presque comme une indécence le détachement de leur éventuel échange sur la mort à travers ce déferlement de vitalité et de gourmandise. Il lui était difficile de fermer derrière lui la porte cachant l'agonie et la mort et de recevoir comme un vent frais et ensoleillé les assauts de la vie et de l'espoir. Son malaise était ridicule et il se l'avouait. Peut-être était-il frappé par le contraste entre le chagrin de Carlotta et la façon qu'avait cette infirmière de survoler le décès comme s'il s'inscrivait bêtement à sa place et à son heure dans le bilan aseptisé des pertes et profits.

« À quoi ressemblait-il?

– Vous ne l'avez jamais rencontré? »

Elle mordait dans l'odorant pain de seigle avec l'enthousiasme de dents éclatantes. L'image du carnassier s'incrustait malgré lui dans la tête du policier. Pharand se demanda si elle voulait vérifier d'abord sa marge de manœuvre. Décrire Gendron à un familier aurait exigé plus de prudence. Il résista à la tentation de la bluffer.

« J'ai entendu parler de lui seulement après sa mort. Il avait déjà été incinéré. »

Fut-elle rassurée par cette réponse? Étrangement, l'allusion à l'incinération parut l'intéresser. Savait-elle déjà à quoi s'en tenir? Entretenait-elle, comme bien des gens, une répulsion devant ce choix? Il n'avait guère réfléchi à la chose, mais la familiarité avec le corps et ses souffrances rendait-elle plus choquant le recours au feu pour effacer les traces de la mort? Autant de mystères. Pourtant, Pharand l'aurait juré, la référence à l'incinération avait allumé quelque chose dans son regard.

« Comment était-il physiquement?

– Un petit homme. Plus petit que moi. Aucun

embonpoint. Il devait peser dans les 150 livres, 160 maximum.»

Le café embaumait. Elle lui fit signe d'allonger le bras vers la cafetière placée au centre de la table. Il succomba au goût et à l'odeur. Sûrement un arabica de bonne souche.

«De quoi souffrait-il?

— De toutes les formes de tensions imaginables.

— Des ulcères?

— Peut-être ou encore des brûlures d'estomac. Des palpitations de temps à autre, mais, d'après moi, c'était du stress à l'état pur. Le docteur Charron était pas mal du même avis. Je ne sais pas si c'est le médecin ou moi qui ai pensé cela en premier.

— Est-ce que vous alliez chez monsieur Gendron de façon régulière ou attendiez-vous qu'il vous appelle?

— Les deux. J'y allais trois fois par semaine pour prendre sa pression, son pouls, vérifier ses médicaments, etc. Mais c'est arrivé qu'il me téléphone parce qu'il cherchait son souffle ou se sentait étourdi. Quand il n'a pas appelé pendant une fin de semaine, je suis allée voir. Il était mort. Nos fréquentations n'ont pas duré longtemps. Un peu plus d'un mois dans la grande maison, à peu près autant dans le petit appartement.

— Vous attendiez-vous à un décès subit?

— Oui et non. Je ne suis pas médecin, mais j'en ai vu beaucoup faire le saut sans donner d'avertissement. Lui, je ne le voyais pas s'éterniser dans un fauteuil roulant. Il était trop impatient, trop tendu. Une colère de trop, une pilule perdue et c'était suffisant. C'est ce qu'il voulait.»

Le policier acceptait mal ce verdict. Gendron, après tout, n'était pas en si mauvais état. En plus, il venait de se découvrir une passion et y consentait des millions.

«Ce genre de service doit coûter cher», fit Pharand d'un ton qui cherchait à harmoniser le constat et l'interrogation.

Chantal Doiron ne renonça pas, au contraire, à porter sa tasse de café à ses lèvres. Elle profita du silence pour jeter sur Pharand un œil moins amène.

«Il pouvait se le permettre.»

Maintenant que la transition se faisait de la conversation vaguement mondaine à l'auscultation policière, Pharand accéléra la cadence.

«Vous avez plusieurs clients de ce type?

— Pas beaucoup, répondit-elle sans préciser, mais ça me laisse plus de liberté qu'un horaire d'hôpital.

— Et c'est mieux payé? insista Pharand.

— Et c'est mieux payé, admit-elle, mais quel est le rapport? Travaillez-vous pour l'impôt?»

Une certaine sécheresse avait envahi la voix.

«J'essaie de comprendre votre système, madame Doiron. Aviez-vous assez de clients pour justifier une pharmacie personnelle? Quand monsieur Gendron appelait, vous ne passiez quand même pas par le docteur Charron ou la pharmacie du quartier avant de vous rendre chez votre client... Est-ce que monsieur Gendron gardait certains médicaments? Voyez-vous mieux le rapport?»

Au tour de l'infirmière de chercher ses repères. Elle jeta un peu de lest. Un peu seulement.

«Le docteur Charron avait rédigé des ordonnances que je faisais exécuter à la pharmacie. Je laissais chez monsieur Gendron ce qui était nécessaire à court terme ou en cas d'urgence, et je gardais le reste ici.

— Était-il porté à abuser des médicaments?

— Ce n'était pas son genre. Il n'aimait pas en prendre à heures fixes. Il préférait attendre le stress. Il avait toujours été son propre patron. Ça comportait des risques.

— Vous gardez aussi des médicaments pour vos autres clients?

— Même chose...»

Elle s'arrêta pile, subitement alertée par la démarche de l'enquêteur. Il était devenu clair que Chantal Doiron conservait en main des produits pharmaceutiques destinés à différents clients et à des soins diversifiés.

«Quelles précautions prenez-vous pour éviter, disons, les erreurs d'aiguillage? Avez-vous un registre?

— Je n'ai pas un si grand nombre de clients que cela!» protesta-t-elle, regrettant un peu tard d'avoir enveloppé le nombre de ses clients d'un flou artistique.

Elle aurait pu dissiper le malentendu en recensant sa clientèle. Elle ne le fit pas. Ou bien, se dit le policier, chaque client payait un prix qu'elle préférait garder secret ou bien le nombre croissait avec les risques d'erreur. Elle ne souhaitait aucune des deux vérifications. Pharand s'en voulut d'avoir tant apprécié l'arabica. Le vieux principe du «jamais pendant le service» vise l'alcool, mais il aurait dû l'étirer jusqu'au café. Il détestait ce qu'il allait faire maintenant, mais, quand on soupçonne un meurtre et qu'on ne peut pas examiner le cadavre, la méthode efficace n'est pas celle des ronds-de-jambe.

« Madame Doiron, je dois prendre des moyens draconiens. Et tout de suite. Je demande l'inventaire de tout ce que vous pouvez avoir en votre possession en fait de produits pharmaceutiques. Vous pouvez faciliter cet inventaire ou exiger une autorisation judiciaire. Si nécessaire, j'aurai un mandat dans les prochaines minutes.

– Vous ne m'accusez pas, mais vous m'accusez!

– Je demande votre collaboration et vous pouvez la refuser. Si vous la refusez, je demande un mandat. »

Son silence tournait à la bouderie. Sans plus attendre, Pharand dégaina son téléphone et demanda au procureur Philippon, alias le prudent procureur, un mandat de perquisition. Un argument emporta les réticences : risque de perdre un élément de preuve irremplaçable. L'avocat nota l'adresse de Chantal Doiron et promit de remettre le document à Marceau dans les prochaines minutes. Pharand l'aurait en un clin d'œil.

« Madame Doiron, je ne bluffe pas. Je préférerais ne pas me servir de ce mandat. À vous de décider si vous me donnez accès à votre dépôt de produits pharmaceutiques.

— De quoi m'accusez-vous?

— Je vous le redis : vous n'êtes accusée de rien. Je veux savoir de quoi est mort Aimé Gendron. Ce que le docteur Charron et vous avez dit au sujet de sa santé n'explique pas son décès. Pourtant, il est mort. Vous avez été la première à le voir mort. Vous vous êtes rendue chez lui un matin où vous n'étiez pas censée le faire. Je veux savoir s'il est possible que vous ayez eu une distraction et que vous lui ayez fait prendre un produit destiné à quelqu'un d'autre. Donc, je demande l'inventaire de votre pharmacie.

— Et qu'est-ce que vous faites du secret professionnel?

— Dresser l'inventaire d'une pharmacie ne révèle pas le dossier médical de vos patients ni même leurs noms. »

Elle avait eu le temps de passer du stade coléreux à la défense méthodique de son terrain.

« Même si vous trouviez de la mort-aux-rats dans ma réserve, votre raisonnement ne tient pas. Vous ne pourrez jamais prouver que je lui en ai donné ni qu'il en est mort.

— Avez-vous étudié la question récemment? »

Pharand ne se félicitait pas de ses manœuvres. Certes, les circonstances lui dictaient un comportement intransigeant à l'extrême, mais, à griffer dans le noir, il courait le risque d'écorcher des innocents.

« Écoutez, madame Doiron. Monsieur Gendron est mort brusquement. Il ne souffrait d'aucune maladie grave. L'incinération a déjà eu lieu et je ne peux pas me rabattre sur une autopsie. Si votre pharmacie personnelle ne contient aucun produit dangereux, nous aurons éliminé une hypothèse.»

L'infirmière retourna à son silence. À observer sa mine fermée et soucieuse, Pharand suivait aisément ses calculs. Son inventaire, elle l'établissait mentalement, évaluant les risques de découvertes embarrassantes. De mémoire, elle croisait les posologies, supputait l'effet d'un médicament contre-indiqué sur tel de ses patients. Un étranger pourrait-il rattacher tel produit à tel besoin médical?

«Allez-y, cracha-t-elle enfin. Je n'ai rien à cacher. Je me réserve de vous faire payer vos insinuations.

– Des circonstances exceptionnelles justifient ma demande. Et le mandat de perquisition prouve que notre procureur et un juge approuvent ma prudence.»

Elle aurait fait fortune au poker, se dit Pharand, assez inquiet de la fragilité de ses soupçons. La présence d'un médicament dangereux ne prouverait rien et elle en avait pleinement conscience.

Elle ramassait à gestes saccadés la cafetière et la vaisselle sale. L'hôtesse stylée tournait à la virago.

«Vous en avez pour combien de temps? J'ai des rendez-vous à respecter, au cas où vous ne le sauriez pas.

– J'attends mon collègue et une spécialiste des médicaments. Quelques minutes et ils seront là. En attendant, je pourrais copier la prescription qui concernait monsieur Gendron.

– C'est la seule que vous allez voir. Les autres concernent des personnes qui sont encore en vie et je vous en promets toute une si vous plongez vos battoirs dans mes secrets professionnels. »

Son vocabulaire s'encanaillait sous la poussée de la colère. Rien de tel pour attirer la vraie nature vers le jour comme monte une crème indisciplinée. Le policier y puisait une consolation: autant il doutait il y a un instant de la sagesse de son agression, autant cette fureur le rassurait. « Qu'elle se sente insultée, ça va, mais elle en met trop pour ne pas cacher quelque chose. »

Debout depuis qu'elle avait entrepris de dégarnir la table, il inventoriait maintenant le décor. Du goût, de l'élégance, du luxe. De lourdes draperies aux discrétions impénétrables plutôt que des rideaux éthérés et interchangeables. Les toiles sur les murs évoquaient les galeries spécialisées plutôt que les magasins de meubles, le style René Richard plutôt que le très horizontal nu sur velours noir qu'on vend avec le divan. Si le genre se maintenait dans tout l'appartement, il y en avait de quoi occuper un chéquier. L'heure n'était pas encore venue, cependant, d'explorer les autres pièces. La présence de témoins s'avérait indispensable...

Chapitre 8

«As-tu compté tes traces de griffes, mon André? Je n'ai jamais vu quelqu'un pelleter autant de méchancetés sur ton perron! J'ai refait mon stock de vacheries...»

L'heure était au pesage de l'opération. Marceau rigolait. Moins à l'aise, Julie, la technicienne, restait à l'écart de la taquinerie, car le nom de Pharand ne circulait dans son service que nimbé de déférence. Sa moue rendait pourtant hommage au spectacle son et lumière servi par l'infirmière. Pharand arborait un sourire un peu bancal.

«J'ai dit d'avance à notre prudent procureur qu'il s'agissait d'un cas limite...

– Si tu penses, mon André, que cette panthère-là veut seulement te mettre à genoux devant un comité de déontologie, tu te mets le doigt dans l'œil jusqu'au coude. Si elle se retrouve toute seule avec toi sur une île déserte, elle va attendre l'hiver pour traverser sur la glace!»

La veine s'épuisa vite, car Marceau sentait son collègue englué dans une de ses périodes d'inconfort, dans ce qu'il dénommait, mais aux bons moments seulement, ses «scrupules post-arrestation».

D'ailleurs, la priorité allait à la technicienne. Elle multiplia les nuances.

« Elle a beaucoup de produits, mais c'est peut-être normal. Je ne connais pas les malades qu'elle soigne et je ne sais pas quel remède est destiné à quel malade... Quand il s'agit de marques commerciales, je me débrouille. Mais les médecins reçoivent des échantillons de nouveautés et ils en donnent autour d'eux. Certaines me sont inconnues. »

Marceau explosa en un commentaire fielleux :

« Il y a au moins un océan entre mère Teresa et notre ouragan! Elle, donner quelque chose à un client, à un client riche par-dessus le marché? Voyons, Julie! »

Pharand remit la conversation sur ses rails.

« Est-ce qu'il y a des produits considérés comme dangereux pour une personne disons moyenne? »

Hésitation.

« Je dirais oui, mais, encore là, tout dépend. Vous savez ce qui arrive avec la drogue : celle qui est trop pure, c'est parfois la plus dangereuse pour les overdoses. Si madame Doiron a des malades qui ont développé une tolérance à tel médicament, une forte dose peut leur faire du bien et tuer la personne qui n'y a jamais goûté. »

Pharand, qui se piquait de douter de tout, se faisait servir à rebrousse-poil son topo préféré. Marceau dégustait l'ironie de la scène. Mais lui aussi préférait cette approche féline aux grandes gueules qui s'éteignent quand arrive le procès.

« Et l'ordonnance d'Aimé Gendron? reprit Pharand.

— Très banale. De quoi calmer l'hypertension, faire dormir, prévenir une arythmie bénigne, des choses comme ça.

— Ça ne fait pas de lui un homme en danger de mort... »

La technicienne laissa filer la remarque, ne la marquant que d'un haussement d'épaules.

« Des surprises dans le reste de l'inventaire?

— Pas vraiment, sauf un élément. La description du produit fait penser aux maladies tropicales : malaria, fièvre jaune, des risques de ce type. Je pensais que ce genre de produits était réservé à certains hôpitaux. Je confonds peut-être les vaccins et les traitements. J'ai des amis qui ont vécu la procédure parce qu'ils s'en allaient dans un pays à risque. Je vais vérifier. »

Elle louvoyait prudemment entre deux écueils : paraître incompétente ou dépasser ses limites.

« Saviez-vous que monsieur Gendron est allé à quelques reprises en Amérique du Sud? Sûrement en Argentine et au Paraguay, peut-être aussi ailleurs. »

Elle n'en savait rien.

« De toute façon, je ne connais pas les exigences sanitaires de l'Argentine, du Paraguay et des autres pays où monsieur Gendron a pu aller. Donnez-moi la liste dès que vous pourrez. Je ne sais pas non plus ce qu'il faudrait administrer à une personne qui serait revenue d'Amérique du Sud avec une maladie propre à la région ni s'il s'agit de médicaments ou de vaccins à distribution contrôlée. Donnez-moi une chance!

— J'ai entendu parler de gens qui étaient revenus de voyage avec la malaria et qui devaient ensuite prendre de la quinine pendant des siècles», interjeta Marceau sans provoquer de réaction chez la spécialiste.

Pharand logea quand même une autre question :

«Pouvez-vous vérifier s'il y a des précautions à prendre avec ce genre de médicament ou de vaccin? Je veux dire ne pas l'administrer en même temps que tel remède?»

Une fois de plus, la technicienne offrit ses paumes au ciel.

«Donnez-moi une journée. Je ne veux pas vous lancer sur une mauvaise piste.»

Elle s'en fut rougissante avec les remerciements des deux enquêteurs. Elle n'avait pas résolu tous les mystères, mais elle avait donné corps à plusieurs hypothèses.

«Autrement dit, enchaîna Marceau après son départ, tu peux empoisonner quelqu'un sans utiliser de poison. Tu n'as qu'à lui faire absorber deux trucs incompatibles. Ou tu lui fais prendre une pilule qui ne s'entend pas avec son truc antimalaria et pouf! le monsieur manque une coche.

— Ou tu "oublies" le rappel d'un vaccin et la fièvre gonfle le stress...»

Pharand brassait des idées noires. Il pouvait invoquer les circonstances exceptionnelles, mais il avait fait tonner l'artillerie lourde sans lui donner une cible précise. Les sanctions ne le tracassaient pas beaucoup. En subirait-il, pas impossible, que cela ne lui enlèverait pas la paix de l'âme. En revanche, l'idée d'abuser de ses pouvoirs...

« André, cesse de t'en faire! Tu ne l'as accusée de rien. En plus, on n'a rien saisi. On a établi un inventaire en sa présence pour qu'elle n'aille pas nous accuser d'avoir *planté* un poison dans son armoire à fioles. Tu lui en as signé une copie. Elle peut trouver un *bavard* assez fou pour t'accuser d'intimidation, mais elle gaspillerait son argent. »

En quelques instants, Marceau avait changé de ton. Preuve que l'heure n'incitait pas à la taquinerie.

« Le pire, fit Pharand, c'est qu'elle a raison. On aurait trouvé de la mort-aux-rats ou du curare dans son armoire que ça ne prouverait ni le meurtre de Gendron ni sa complicité à elle.

— Mais si elle a des produits qui n'ont pas leur place dans le sac à pilules d'une infirmière, il faudra quand même qu'elle dise pourquoi. »

Bien malgré lui, Pharand se sentait entraîné dans les dédales du monde médical. Ce qui l'avait crispé en lisant le verdict du PhD sur Gendron ralentissait ses réflexes comme la montée d'une vilaine grippe. Interroger des gens qui ont toujours le secret professionnel à la bouche. Vérifier, dès que possible et dans la mesure du possible, si l'infirmière traitait avec un seul médecin ou avec plusieurs. S'enquérir, sans provoquer les hauts cris, de l'identité des autres clients de l'infirmière et amener chacun, toujours dans les limites du possible, à identifier les produits qui lui étaient prescrits... Autant de démarches fastidieuses, indispensables et suicidaires. S'il les tentait tout de même, un avocat le moindrement retors en tirerait la preuve, désormais crédible, que le policier allait à la pêche en plus de bafouer l'éthique professionnelle de sa cliente. Il avait agi par intuition, d'autres diraient sur un coup de tête. La réaction de l'infirmière à la mention de l'incinération l'avait poussé à une manœuvre aventureuse. Il sentait Marceau sur le point d'inventer la catégorie des «scrupules post-perquisition» et de l'annexer à l'autre.

«Si tu n'as pas d'objection, Jean-Jacques, je changerais le programme. Je vais réfléchir à tout ça ce soir et laisser tomber Internet.

– Veux-tu que je m'en charge?

– J'allais te le demander. Tu navigues mieux que moi et puis, tu as sûrement le goût d'en savoir plus long sur les Guaranis... J'avertis Pierrette et je rentre.»

Ils partagèrent le sourire de la connivence. Pharand sortit pendant que son désarroi lui servait l'air de Brel: «Mourir, la belle affaire! Mais vieillir...»

Chapitre 9

Pierrette n'avait jamais houspillé son flic de mari pour lui soutirer les détails secrets de ses enquêtes. Il n'était ni vantard ni cachottier; elle n'était ni belette ni taupe. Il faisait son boulot sans répartir ses gestes entre le casier *routine* et celui, plus rarement exploité, qui pouvait loger l'*héroïsme*. Le plus souvent, c'est par les médias que l'épouse apprenait, sans éprouver de frustration, les exploits de son André. En revanche, Pierrette percevait avec la fidélité d'un sismographe chatouilleux les secousses même ténues qui traversaient les profondeurs de son homme. S'il devait affronter un danger physique, elle le pressentait. Nul besoin d'un signal primaire comme le démontage de son arme de service. L'intuition n'avait aucune genèse visible. Un certain frisson courait alors sur son épiderme et elle posait sur lui un regard encore plus amoureux que d'habitude. L'inquiétude ressentie demeurait sienne et n'aggravait pas celle du policier. Il avait choisi son métier et elle aimait l'homme, métier compris. Elle savait qu'il aurait été malheureux dans l'ouate d'une sinécure. Si ses perceptions de quasi-quinquagénaire plutôt farouche lui rendaient inintelligible le comportement d'une femme ou d'un jeune, il la consultait; comme elle avait vu venir le flottement, puis la perplexité, puis la question, elle offrait alors, parce que sollicitée, une réponse calmement mûrie, mais qu'elle laissait se défendre elle-même.

Aujourd'hui, elle l'avait perçu dès l'appel téléphonique, était un de ces jours qu'André n'habitait qu'à demi, son instinct faisant relâche. Sans l'interroger, elle rompit avec leur routine en emportant au salon le verre de Cutty Sark auquel il consentait à l'occasion et le pineau des Charentes qu'elle s'autorisait encore plus rarement. À peine avait-il eu le temps d'accrocher son veston et de déposer cravate et harnais de cuir qu'il était pris en main, logé au creux de leur divan et les amuse-gueules à trois doigts du genou.

« Le souper ne sera pas prêt avant une demi-heure. »

Retard pleinement planifié. Un de leurs lieux communs préférés remonta à la surface.

« Si j'étais un criminel, je préférerais ne pas être interrogé par toi. Je n'aurais aucune chance! »

Pierrette sourit, fit tinter son verre trapu contre le cristal du sien et attendit. Il parlerait parce qu'il devait parler. À son rythme. Pas un instant il ne joua au plus fin. Il fixa le décor en quelques mots.

« D'ordinaire, on a des cadavres de trop et on cherche les truands. Cette fois-ci, l'incinération a fait disparaître le corps avant que nous puissions vérifier quoi que ce soit. Le défunt avait pourtant prévu son assassinat. Son appel est arrivé trop tard, mais, même si j'avais lu son S.O.S. avant sa mort, je n'y aurais pas porté attention. »

Le récit se déroulait en mêlant les témoignages, les doutes, les frustrations; en même temps, il s'organisait, comme se précise une impression fugace en accédant à la parole. Deux éléments émergèrent de la toile de fond: le mystère guarani et le rôle de l'infirmière. Pharand, de son propre aveu, ignorait la nature du lien entre Gendron et Carlotta et il s'interrogeait autant sur l'infirmière que sur sa propre réaction à son égard. Quand Pierrette se leva pour jeter un œil sur son four et qu'elle revint avec deux verres rafraîchis, Pharand la taquina:

« Ça t'a donné le temps de te faire une idée? »

Elle ne nia pas que le four avait eu rôle de prétexte.

« S'il y a eu meurtre, fit-elle en se rasseyant près de lui, qu'est-ce que ça rapporte aux enfants? Ils ont déjà l'argent. Tu y as certainement pensé.

– C'est une des ficelles qui traînent encore.

– Tu n'as pas rencontré les enfants. Ça va tout changer. »

Elle faisait confiance aux intuitions de Pharand. Il mit un bémol.

« J'ai rencontré l'infirmière et Carlotta, mais je ne suis pas beaucoup plus avancé...

– Ce n'est pas tout à fait vrai. »

Sa moue invitait aux nuances. Pharand convint qu'avec ces deux femmes ses doutes avaient au moins entrevu leur cible. L'une lui inspirait la méfiance, l'autre avait jusqu'à maintenant préservé son mystère. Elle le laissa poursuivre.

« L'incinération est un élément qui m'agace. Regarde. »

Il comptait sur ses doigts.

« Elle survient vite, trop vite. Elle bloque l'enquête. Elle semble avoir rassuré l'infirmière. Mets tout ça bout à bout et tu te dis que les enfants et l'infirmière avaient intérêt, le même intérêt, à ce que Gendron parte en fumée.

— Tu vois bien que ton intuition a mordu dans quelque chose. »

L'odeur de la quiche les rejoignait au salon. Ils passèrent à la table de cuisine. Pharand se rassérénait. Il joua un instant au patriarche en traçant un X dans le plat de pyrex avec la spatule avant de transférer deux pointes inégales dans les assiettes que Pierrette avait réchauffées. Ils prirent le temps de savourer la première bouchée.

« L'infirmière n'a jamais mis en doute la santé mentale de Gendron. Le médecin traitant non plus, au contraire. »

La suite se soumit au rythme du repas. Les silences s'allongeaient, les répliques tardaient. Pharand jouissait du climat et s'approchait de la sérénité du convive repu.

« D'après le médecin, ce sont les enfants qui ont donné à Gendron le nom de l'infirmière. Ça me surprend. Mais elle, elle ne parle que de stress et d'ulcères d'estomac. Elle le visite et reçoit ses appels, ce qui prouve qu'elle le juge lucide. Plus j'y pense... »

S'il recouvrait ses réflexes, Pierrette n'avait rien à ajouter. Elle n'eut qu'une question :

«Et l'autre femme, Carlotta, tu la confies à Jean-Jacques?

– Oui. J'avais planifié autre chose, mais j'avais besoin de te parler.

– Je te sens réticent...

– Il aime que je lui laisse de la corde...

– Mais?...

– Carlotta n'est peut-être pas le mystère que je lui aurais confié. Quand il la regarde, il a l'air du petit gars qui vient de rencontrer Harry Potter. Il engloutit ce qu'elle dit, il adopte son point de vue même s'il a à peine entrevu les enfants de Gendron... J'ai été obligé de lui faire sentir que même une belle femme peut mentir!

– Elle est belle?

– Une merveille.

– Jean-Jacques n'est quand même pas une girouette, fit Pierrette.

– Ce n'est pas l'adultère qui me tracasse, mais l'enquête.»

Il s'interrompit, riant enfin de bon cœur:

«Tu parles d'un mot! Est-ce que le mot adultère existe encore?

– À mon âge, je comprends ton vocabulaire, mais il mérite peut-être un rajeunissement. De toute façon, Jean-Jacques t'admire tellement qu'il a dû être piqué par tes remarques. Tu m'as toujours dit qu'il ne rigolait pas avec le travail.

– D'accord avec toi. Il rage encore un peu, mais c'est un pur. C'est à moi de ne pas l'humilier. C'est délicat, parce qu'il faudrait que je m'en mêle au moins un peu.

– Que veux-tu ajouter?

– Aucune idée. Je ne comprends rien à ce que raconte cette fille au sujet de son peuple. Je ne sais même pas si l'Argentine et le Paraguay ont la même équipe de soccer ni si les Guaranis sont une espèce en voie de disparition. Pour Jean-Jacques, ça doit être pire. Il va mener son enquête, mais elle peut lui raconter et nous raconter n'importe quoi. Ce que je sais, c'est que Gendron a eu un choc là-bas et que les hormones n'expliquent pas grand-chose cette fois.

– Est-ce que c'est un pays sans avenir? » demanda Pierrette.

Combien de sens pouvait emprunter cette question? À son tour, Pharand tricha un peu pour s'octroyer un temps de réflexion. Il porta à la cuisine assiettes et ustensiles et soudoya le robinet d'eau chaude pour rendre la conversation impossible. Compact et serein, le sursis se prolongea pendant qu'il tirait de l'armoire la tasse dont Pierrette usait pour sa tisane et qu'il négociait avec la cafetière. Il prenait le temps de préparer son esquive.

« Je te répondrai demain, mais tu poses une bonne question. Si les Guaranis sont une cause désespérée, Carlotta est une sangsue et Gendron s'est fait avoir. S'ils ont une chance de gagner quelque chose, Carlotta peut être la petite sœur de Jeanne d'Arc. Jean-Jacques va me revenir avec plus d'informations et de photos qu'un guide touristique, mais ce que je veux d'abord, c'est la réponse à ta question. »

Pierrette n'avait pas dit son dernier mot.

« Je serais surprise que les enfants Gendron en sachent plus long que toi sur les Guaranis. S'ils pensent rapatrier l'argent qui est rendu là-bas, ils ont besoin d'aide.

– Tu as raison, c'est un autre chaînon faible. Continue, tu as commencé à compter sur tes doigts et tu es rendue seulement au deuxième!

– Ils ont besoin d'aide ici aussi, poursuivit Pierrette. Peut-être ton infirmière, peut-être ton PhD. S'ils ont acheté des connivences, tu vas les trouver. »

Elle en arrivait à replier son majeur.

« Je pense à votre Carlotta. Même si elle fait rêver Jean-Jacques, le Gendron dont tu parles ne l'a pas embauchée pour ça. Ton notaire le saurait et tu l'aurais senti en lui parlant. Non, pour qu'un homme qui s'est méfié de tout le monde toute sa vie verse des millions à une femme, elle doit avoir autre chose que des courbes. Elle a sûrement bien plaidé sa cause. Tant mieux si c'en est une bonne. Vois plus loin que Jean-Jacques. »

Pierrette séparait mieux que les policiers la cause guaranie et les charmes de Carlotta. Pharand passa derrière elle et lui mit aux épaules des mains enveloppantes. L'enquête rebondissait et l'enquêteur renaissait.

Chapitre 10

Le lendemain matin, la température souffrait d'ambivalence. Ni relent d'été ni menace de froid. Un enfant aurait dit qu'elle boudait. À la centrale, ce n'était pas un atlas sur l'Amérique du Sud qui attendait Pharand, mais un message de Marceau.

Il serait en retard. Joignable par son portable, mais pas en mesure de parler librement. Le policier ne gaspilla pas de supputations sur les initiatives de son collègue. L'allusion de Pierrette à l'aide mobilisée par les piranhas Gendron l'avait stimulé. Aide de quelle nature? À lui de trouver.

Il revint au dossier qui l'avait lancé sur les traces de Gendron et planta ses repères. L'évaluation dévastatrice commise par le verbeux PhD et que Pharand décortiquait en tranches minces était dûment datée: 18 juillet. Plusieurs des allégations visaient la période après la rupture, mai et juin; certaines des plus incriminantes dataient de plus loin. Les enfants Gendron n'avaient pas attendu le sevrage pour amorcer leur travail de sape. Tout en encaissant ce que leur père versait, ils reluquaient ce qu'il ne leur offrait pas. La naissance de la fondation avait peut-être agi comme l'accélérateur dont se servent les pyromanes: à l'agacement s'était substituée la colère. La nouvelle avait retenti à leurs oreilles comme une alerte rouge. «Créer une fondation, se fit le policier, ce n'est pas une preuve de folie, mais cela gruge un héritage plus vite qu'un petit chèque à Oxfam...» De fait, le PhD ne triturait pas la fondation au point d'en faire la preuve par quatre d'un déséquilibre mental. Mais c'était, euphémisme corrosif, «un sujet d'inquiétude». Le plaidoyer s'apitoyait sur le sort des adorables enfants Gendron face à l'amollissement du cerveau paternel; ils étaient d'autant plus inquiets que *certaines décisions de leur père avaient précédé le sevrage.* D'où l'insistance sur l'accélération du naufrage mental. D'où la réaction du tribunal: il y avait péril en la demeure.

Pharand rappela le notaire Mantha. Celui qui, le premier, avait évoqué l'importance des dates, pouvait peut-être chasser le flou qui se répandait sur elles.

«Est-ce que vous avez préparé le nouveau testament de monsieur Gendron en même temps que vous faisiez l'incorporation de sa fondation?»

La réponse fut immédiate. L'homme de loi avait réfléchi à la question depuis leur premier contact.

«Oui. Il s'agit, toutefois, d'actes différents. Ils auraient pu être séparés par plusieurs mois ou même des années, mais ils portent des numéros consécutifs et sont datés du même jour. Dans le cas du testament, j'estimais prudent de référer aux testaments précédents et de les annuler.

– Et ce jour est le?...»

Le notaire collaborait plus spontanément

qu'aux premières minutes de leur face-à-face, mais sans ferveur excessive.

« Quatorze février. Monsieur Gendron était revenu d'un de ses voyages en Amérique du Sud quelques mois plus tôt. Il avait réfléchi. Il avait déjà investi dans les projets de madame Alvarez, mais il voulait une fondation pour leur donner une permanence. »

La période litigieuse que Pharand espérait réduire cédait à une décourageante inflation. Des mois, de février à la fin de l'été, s'étaient écoulés entre l'incorporation et la mise sous tutelle. La date du sevrage importait de moins en moins. L'attaque contre Gendron roulait depuis longtemps.

« Le testament est-il venu en premier?

– Non. Dans l'esprit de monsieur Gendron, la fondation devait exister d'abord et le nouveau testament devait comporter des clauses à son sujet. C'était son choix.

– Quand nous nous sommes rencontrés, vous avez insisté sur l'importance des dates. En les examinant, en êtes-vous arrivé à une opinion sur la valeur du testament? »

Pharand en fut pour ses frais : le notaire n'était pas plus juge que la dernière fois. Au panthéon de la prudence, il se serait faufilé devant le procureur Philippon! Perdait-il foi en sa théorie?

« Tout ce dont je pourrais témoigner, monsieur Pharand, c'est que monsieur Gendron m'a paru lucide lorsqu'il est venu formuler sa double demande. Il était pressé. Il est revenu deux jours plus tard, le 16 février, pour signer les documents, et un de mes associés a agi comme témoin. Il endosse mes vues sur l'équilibre mental de mon ex-client. »

La cause de Gendron prenait du mieux et l'allusion de Pierrette aux partenaires des enfants Gendron gagnait en importance. Piètre consolation si cela avait incité les héritiers pressés à devancer toute contestation et si l'assassinat de Gendron découlait de son bon droit...

« Où se trouve le siège social de la fondation? »

La question, futile, préparait la sous-question.

« Monsieur Gendron considérait sa maison comme son seul centre d'opérations. Il n'avait plus de bureau à l'extérieur.

– Carlotta allait le voir chez lui?

– Je ne me suis jamais posé la question. »

Pharand aurait juré que le notaire Mantha avait choisi de ne pas s'intéresser aux visites de Carlotta au domicile d'Aimé Gendron. Couver la sous-question n'avait servi à rien. Insister aurait valu au policier le silence dû au manque de goût. Pierrette lui aurait rappelé que Gendron n'avait pas embauché Carlotta pour l'élégance de ses courbes. Pharand retraita en s'inventant une diversion.

« Ce n'était pas un homme à multiplier les formalités et à empiler de la paperasse... »

À l'autre bout du fil, il y eut ce qui ressemblait à un gloussement.

« Non. Ni formalités ni paperasse. L'administratrice avait reçu tous les pouvoirs, et monsieur Gendron n'était pas sujet aux retours en arrière. Elle n'avait pas à le déranger.

— Est-ce lui ou elle qui vous communiquait les décisions? Pour une sortie de fonds, par exemple?

— Personne n'avait à le faire. Monsieur Gendron avait remis à la fondation les montants qu'il jugeait nécessaires pour l'année. Dans la mesure où la loi le permet, la fondation gérait les sommes versées avant sa naissance.

— Et la banque ou la caisse populaire avait reçu les autorisations de signatures?

— Il faudrait le leur demander. À ma connaissance, c'est la Caisse populaire de l'ancien Sillery qui s'occupait du compte de la fondation. Depuis l'entrée en scène du liquidateur, les choses ont pu changer. »

Gendron avait eu raison de vanter l'efficacité de ses chers enfants. Il leur coupe les vivres fin mai; on le place sous tutelle à la fin de l'été ou au début de l'automne et il perd la vie en septembre. Belle cadence! Impression trompeuse cependant si, de l'avis du PhD et du tribunal, le naufrage mental d'Aimé Gendron avait commencé dès le début de l'année. Le notaire avait raison quant au principe, mais l'antériorité d'un document ne voulait rien dire si la raison d'Aimé Gendron chambranlait avant son testament.

Pharand déposa le téléphone avec un vif sentiment de frustration. Il le reprit sans joie. L'appareil pesait deux fois son poids : celui de l'exploration stérile qu'il venait de mener et celui, aussi écrasant, du rituel qui l'attendait. Il redoutait les astuces des établissements financiers autant que le jargon opaque des évaluations psychologiques.

Vaincre deux douzaines d'huîtres rétives lui paraissait plus facile que de se faire indiquer le jour de la semaine par un banquier. « Allons-y, se dit-il, puisqu'il le faut! » La communication s'établit si souplement avec le directeur de la caisse que le policier vit s'étioler ses préjugés : à questions précises, réponses, sinon exubérantes, du moins digestibles. Le compte personnel d'Aimé Gendron avait été déplacé vers une banque dont on lui indiqua les coordonnées. La comptabilité de la fondation pour le temps écoulé depuis sa création? Disponible dès l'instant où la police présenterait un mandat.

« Des montants versés à qui? »

La réponse fut la même, mais en plus froid. Pharand se demanda si la vérification des dates suggérée par le notaire méritait autant d'efforts. « Mauvais angle peut-être... »

Chapitre 11

Souriant, débordant, athlétique, Marceau faisait une entrée théâtrale. Les bras en cerceau autour d'un fardeau disparate, il se délesta sur son pupitre avant de tomber la veste et de chevaucher sa chaise devant Pharand comme s'il inaugurait un rodéo. Il était à peine dix heures, mais il semblait avoir cueilli les résultats d'une pleine journée de travail.

« Si tu es prêt, on file chez Carlotta. On va bien voir si elle en sait plus long que moi sur les Guaranis! »

La circulation que les automobilistes de Québec dénoncent comme une atteinte à leurs droits avait terminé ses hoquets. Suréquipée en voies à débit rapide, la ville considère comme un crime de lèse-capitale tout ralentissement dépassant la minute. Marceau parvint à l'appartement de la rue Scott sans le moindre prétexte à impatience.

« J'en ai navigué un coup! fit-il en songeant à Internet plus qu'au trafic. Heureusement que j'avais promis à ma douce qu'on regarderait le DVD ensemble pas trop tard.

– DVD? Qu'est-ce que ça vient faire dans le décor?

— Pauvre André! Le cinéma muet, c'est fini, le blanc et noir aussi. De Niro, tu connais? »

Pharand saisit au vol l'occasion de redorer son prestige.

« Si je connais De Niro! Il a joué le rôle de Jake La Motta dans *Raging Bull*. Le réalisateur Scorcese l'a fait engraisser de je ne sais plus combien de kilos pour qu'il ressemble au boxeur bouffi à la fin de sa vie. Je ne connais pas les airs de Madonna comme toi, mais toi, tu es trop jeune pour te souvenir du combat entre La Motta et Laurent Dauthuille. Le Français a matraqué La Motta à chaque ronde sans jamais le faire tomber. À la fin, le Français est trop sûr de lui et il baisse sa garde. La Motta, qui a les yeux bouchés, lance un grand coup et il met Dauthuille hors de combat à 13 secondes de la fin. Treize secondes, penses-y! Tout un film!

— Wow! Mon encyclopédie sportive à son meilleur! Mais pourquoi ressusciter ton... C'est qui ton boxeur français?

— C'est toi qui as demandé si je connaissais De Niro. Je te prouve que oui. Mais toi, pourquoi De Niro?

— Facile, facile! De Niro joue dans le film *Mission* qui raconte l'histoire des Guaranis. *Capisce*? »

Ils arrivaient à proximité du cagibi de Carlotta. Conclu par un coup de fil, le rendez-vous ne prenait pas la jeune femme à l'improviste. Les traits fatigués, son teint ambré rendu mat par la nervosité, elle était plus touchante que lumineuse. Les deux hommes prirent tout de même les dispositions applicables à leurs interrogatoires conjoints. Assis de manière à empêcher le témoin de les couvrir tous deux d'un même regard, chacun observait leur cible à loisir. Au besoin, un clin d'œil discret mettait le partenaire en garde. Que Marceau ait d'instinct exécuté la manœuvre réconforta Pharand. L'échange s'amorça. Pouvait-elle, dès le départ, préciser son statut, son origine, son parcours?

«Je vous l'ai dit, répondit-elle d'une voix sans tonus, je suis née en Argentine et je suis citoyenne argentine. Mon passeport est argentin.

— Où, en Argentine?

— À Posadas, la capitale d'une de nos provinces.

— Celle de Misiones?»

L'intervention détonnait. Peut-être Carlotta avait-elle présumé la totale ignorance du policier. On verrait bien.

«Oui, Misiones. Sur le bord du fleuve, le Parana. Vous connaissez Iguaçu?

— Pas encore, répliqua Marceau, mais je sais à quoi ressemblent ses chutes.»

C'était à son tour de mesurer ses paroles. Si elle le prenait en défaut, adieu la belle confiance!

«Vous avez vu les chutes dans le film?»

Là aussi, Marceau joua franc jeu.

«J'avais vu le film, mais je l'ai revu hier soir.

— Avez-vous cru l'histoire?»

Stratégie ou naturel, l'échange s'était inversé et Marceau encaissait les questions au lieu de les choisir. Pharand s'inséra dans la conversation.

«C'est plutôt à vous de dire si l'histoire des Guaranis est correctement racontée.»

Une ombre passa sur le visage de Marceau, sans pourtant s'y fixer.

«Un film, c'est un film, fit-elle en éludant la question. Ce qui est vrai, c'est que les Guaranis ont dû franchir le Parana pour échapper aux massacres. Des milliers sont morts. Le fleuve sert de frontière entre l'Argentine et le Paraguay. Aujourd'hui, il y a des Guaranis des deux côtés. Certains sont Argentins, comme moi, d'autres ont la nationalité paraguayenne et vivent sur l'autre rive.

– Et d'autres ont la nationalité brésilienne? reprit Marceau.

– Pas beaucoup, nuança-t-elle avec réticence.

– Vous avez une dent contre le Brésil? demanda Marceau.

– Avoir une dent? Je ne comprends pas.»

Les deux policiers ne purent s'empêcher de sourire. Marceau reformula sa question.

«Pour les Guaranis, expliqua-t-elle, les souvenirs sont moins bons du côté des Portugais.

– Portugais?

– Oui. Les Brésiliens parlent portugais. Et les Portugais ont vendu beaucoup de Guaranis comme esclaves.»

Le policier insista.

«Les Argentins parlent espagnol. Est-ce que l'Espagne a tué moins de Guaranis que le Portugal?»

Pharand ingurgitait patiemment le cours *Guarani 101*. Ce n'était pas sans pertinence, mais le lien avec Gendron... Puis, il se souvint de la question posée par Pierrette.

« Oui, l'Espagne a mieux traité les Guaranis. »

Pas d'enthousiasme là non plus. Traiter mieux, ce n'était pas encore gaspiller l'affection.

Pharand tenta un résumé.

« Vous êtes de nationalité argentine, mais vous êtes de cœur et de culture une Guaranie. C'est bien cela? »

Elle hocha la tête et retourna à leur premier contact:

« Les Guaranis ont plus de droits au Paraguay qu'au Brésil ou en Argentine. Au Paraguay, plus de gens comprennent le guarani que l'espagnol. Le guarani est une des deux langues officielles au Paraguay. C'est pour cela que j'ai demandé à monsieur Gendron la permission d'aider surtout les jeunes Guaranis qui vivent au Paraguay. Ils pourront travailler dans leur langue.

– Si l'Argentine reconnaissait le guarani comme langue officielle, est-ce que vous aideriez plutôt les Argentins de culture guaranie?

– Cela n'arrivera jamais. L'Argentine et le Brésil sont trop gros pour s'occuper d'un petit peuple. Le Paraguay a seulement six millions et demi d'habitants, c'est différent. Au Pérou ou en Bolivie, c'est la même chose, on peut parler aymara ou quechua. Ce n'est pas officiel, mais on vous laisse faire. Pour nous, le Paraguay vaut mieux. »

Le décor se précisait, mais pas le profil de Carlotta. La question de Pierrette – « Est-ce un pays sans avenir? » – recevait un embryon de réponse.

Mais Carlotta? Missionnaire ou profiteuse? Une militante creusant les catacombes d'une révolution? Pharand réservait son verdict. Marceau, qui avait lui aussi saisi la toile de fond, revenait enfin à leurs préoccupations.

« Où avez-vous rencontré monsieur Gendron?

– En Argentine. Je travaillais comme guide et il faisait partie d'un groupe de touristes. Il essayait de comprendre la géographie. Il s'inquiétait de son passeport et des visas. Trois pays se touchent tout près d'Iguaçu et il y a des frontières partout. Il m'a posé des questions comme les vôtres et je lui ai parlé des *reductiones.* »

Marceau reprit le plancher :

« Les anciennes patentes jésuites, c'est ça? »

Le terme la déconcerta. Elle le laissa en suspens, attendant une explication qui ne vint pas.

« Je lui avais conseillé de venir voir les ruines des bâtiments construits autrefois par les Guaranis à Posadas et il est venu. Je lui ai expliqué l'architecture des villages et l'organisation. Je lui ai fait entendre la musique guaranie. Il pleurait. Il a noté mon adresse. Après son retour à Québec, il m'a écrit et m'a invitée à venir le rencontrer.

– Vous rappelez-vous la date de votre premier voyage? demanda Pharand qui songeait aux obsessions du notaire.

– Il y a plus d'un an et demi. Il était venu à la fin de votre hiver. Pour nous, c'était le commencement de la chaleur.

– Et son aide date de ce moment-là?

– Il a commencé à nous aider plusieurs mois

avant que la fondation existe. Il mettait de l'argent, beaucoup d'argent dans mon compte et je n'aimais pas cela. Alors, il a eu l'idée de la fondation. Quand il est revenu à Posadas au mois de février de cette année, il avait avec lui les papiers de l'avocat.

— Du notaire?

— C'est ça, du notaire. Je les mêle toujours!

— Pourquoi retournait-il chez vous aussi rapidement?»

Elle sourit, rattrapée par de beaux souvenirs.

«Il poussait sur mes projets. Il riait quand je lui disais que, construire des maisons, c'est plus facile que de protéger une langue ou une culture, puis il recommençait à pousser dans mon dos. Quand il est revenu, il avait décidé de créer sa fondation et de me la confier. Il n'aimait pas l'idée de faire des dons dans deux pays et il voulait que je lui explique pourquoi le Paraguay était plus important. Les mêmes questions que vous!

— Est-ce qu'il vous parlait de ses enfants?»

Le virage était brutal, mais elle ne broncha pas.

«Jamais directement. Une fois, en me donnant un chèque, il a dit: "Au moins, celui-là va être utile!" Je ne sais pas s'il pensait à eux en disant ça.»

La paranoïa dont Pharand se targuait volontiers trouvait à peine un os à ronger. Tout ce que disait la jeune Guaranie était recoupé par d'autres sources. Concordance constante, par exemple, entre les propos du notaire et ceux de Carlotta. Puis, le doute pointait l'oreille: la convergence ne révélait peut-être chez cette femme que l'aptitude à ne pas mentir à propos du vérifiable. À mesure que le calendrier perdait du relief, le flou de tout un semestre attirait l'attention du policier. Pas encore de fondation, mais l'argent circule. De touriste ému et généreux, Aimé Gendron se recycle en investisseur rigoureux. Évolution contraire du côté des enfants Gendron. Avant même le sevrage de mai, ils empilaient les griefs. Cueillette mesquine et nauséabonde, mais qui ferait naître plus vite le doute sur la santé mentale d'Aimé Gendron.

Le téléphone portable de Pharand les fit sursauter. Le policier s'éloigna de quelques pas avec un mot d'excuse.

« Monsieur Pharand, ici le prudent procureur. »

Depuis qu'il avait appris son surnom, le procureur de la police s'identifiait ainsi, fier de ses sources. En plus, aucun téléphone ne lui inspirait confiance.

« Je ne sais où vous êtes ni avec qui, enchaîna-t-il. Rappelez-moi. Votre enquête se complique : la fille de monsieur vient de mourir de mort violente.

– Voulez-vous que je me rende tout de suite sur les lieux?

– Pas facile, monsieur Pharand. C'est à Iguaçu. En Amérique du Sud », jugea-t-il bon de préciser.

Chapitre 12

« Une urgence, dit Pharand. Jean-Jacques, tu me rejoins à la centrale. Veuillez m'excuser, mademoiselle, et félicitations pour vos talents pédagogiques. »

Plusieurs messages comprimés en un seul, tous destinés à Marceau. Quitter un interrogatoire portant sur un homicide, c'était sûrement une rareté; à Marceau de piger. Donner rendez-vous à la centrale faisait prévoir des contacts avec d'autres services policiers ou administratifs. Parler de talents pédagogiques, c'était inviter le collègue à ne pas rivaliser de subtilités sud-américaines avec Carlotta.

Suspendue pendant à peine plus d'une dizaine de minutes, la conversation se renoua depuis la voiture des policiers.

« Saviez-vous que mademoiselle était dans le Sud? »

Entame brusquée peu typique du prudent procureur.

« Première nouvelle, répondit Pharand. Je m'apprêtais à la visiter.

– Iguaçu, vous savez où c'est?

– Quand vous m'avez rejoint, nous recevions justement un cours sur la géographie de ce coin-là. Non, je ne connais pas Iguaçu.

– Quand vous m'avez demandé un mandat de perquisition à propos de votre enquête, est-ce que ce deuxième décès faisait partie de vos craintes?

– Non. Il y a un lien, parce que les décès sont trop rapprochés pour relever du hasard, mais je ne le vois pas encore. Est-ce que madame est morte de mort naturelle?

– Tomber en bas des chutes Niagara, vous le savez mieux que moi, mon cher Pharand, ça peut être naturel, criminel, accidentel, n'est-ce pas? Paraît-il qu'Iguaçu, c'est pire.

– Est-ce qu'on a au moins le corps?

– Vous êtes en train de me traiter comme l'enquêteur que je ne suis pas. Je ne mérite pas cette promotion! »

Gentil, ce procureur, mais aussi fuyant que nécessaire. Mine de rien, il avait reçu l'assurance que le mandat de perquisition obtenu en catastrophe ne dégénérait pas en cafouillage et il s'était délesté sur Pharand du soin de meubler le dossier. Dans une épreuve de slalom, Pharand aurait parié sur lui.

« Puis-je vous demander comment vous avez appris ce décès? demanda le policier.

– L'avocat qui représente les enfants vient de m'appeler. Il est d'abord l'avocat du liquidateur, d'après ce qu'il m'a dit, mais il représente le frère et la sœur tant qu'il n'y a pas de litige entre les deux.

– Est-ce qu'il représente aussi l'infirmière?

– Il parle comme si c'était le cas, mais ce n'est

pas clair. Je pensais que cette dame avait permis la perquisition sans demander l'aide d'un avocat. Y a-t-il du changement?

— Elle n'a pas appelé d'avocat avant la perquisition, mais elle ne se contentera pas de me donner un rôle dans ses cauchemars. L'avocat, lui, comment l'a-t-il appris?

— Monsieur Pharand, je viens de refuser la promotion au rang d'enquêteur.

— Vous ne pouvez pas me blâmer d'essayer! fit le policier en rigolant.

— C'est à moi d'être prudent, répliqua l'autre sur le même ton. Tenez-moi au courant.»

Marceau ne tarderait pas à rappliquer. Pharand s'en remettrait à lui du soin de naviguer sur Internet pour talonner les ambassades, consulats et autres services mandatés pour retracer les voyageurs. Peut-être tout cela serait-il superflu si, pour le mieux comme pour le pire, l'avocat des enfants Gendron avait déjà l'essentiel des données. Pourquoi ne pas lancer la sonde de ce côté?

«Bureau de maître Clovis Letarte, fit une voix aux harmoniques sirupeuses.

— Bonjour, madame, ici l'enquêteur André Pharand, de la police municipale de Québec. Puis-je parler à monsieur Letarte? Il sait déjà à quel sujet.

— Je vous le passe», reprit la voix sans hésitation.

Elle aussi sait de quoi il s'agit, se dit Pharand.

«Clovis Letarte, monsieur Pharand. Je me doutais que vous appelleriez. Vous vous intéressez à la mort de monsieur Aimé Gendron et j'ai bien pensé qu'un deuxième décès dans la même famille en quelques jours attirerait votre attention. C'est pour cela que j'ai appelé votre procureur. Est-ce que nous pouvons mettre nos ressources en commun pour classer au plus tôt la mort de madame Gendron?

— Vous êtes bien informé, monsieur Letarte. De mon côté, je vais collaborer avec ceux qui mènent l'enquête, mais je ne sais pas qui s'en charge en Amérique du Sud. Les gens de là-bas auraient peut-être besoin de votre aide.

— Ne vous en faites pas pour moi, dit l'avocat avec suffisance. Je suis en contact avec la police argentine et j'irai probablement sur place attacher les dernières ficelles. »

Pour sa part, le policier aurait été en peine de choisir son interlocuteur en Argentine, au Brésil ou au Paraguay. Il avait tout juste retenu ceci du cours de géographie de Carlotta: les chutes d'Iguaçu coupaient le cours d'un grand fleuve qui servait de frontière. Quel pays a préséance quand quelqu'un se noie dans un fleuve-frontière ou y est jeté? « Ces *bavards*-là sont branchés directement sur le Saint-Esprit », se dit-il avant de poursuivre à haute voix.

« Puisque vous connaissiez mon intérêt pour la cause Gendron, vous auriez pu communiquer avec moi...

— Vous savez comment nous sommes, nous les avocats, monsieur Pharand. Nous avons nos habitudes et nous aimons bien, soit dit sans vous offenser, négocier avec des gens qui les connaissent. »

Pharand n'aimait pas la grossièreté, même quand on la lui servait sans juron.

« Que je sache, monsieur Letarte, il n'a pas été question de négociations entre vous et moi ni entre vous et notre procureur. La seule chose qui pourrait m'intéresser, c'est ce que votre cliente faisait en Amérique du Sud. Comme je ne connais pas vos mœurs, la question peut être indiscrète.

— Elle l'est, en effet.

— Alors, monsieur Letarte, oubliez ma question. Mais dans nos habitudes à nous, nous tenons à avoir des réponses même aux questions indiscrètes et nous les aurons.

— Bonne chance, monsieur Pharand, mais prenez garde. Si vous continuez à prendre parti contre mes clients et pour la fondation qui les a lésés, vous recevrez de moi des réponses que vous n'aimerez pas.

— Des accusations et des menaces, monsieur Letarte? J'attendrai que vous les répétiez sur la place publique. Bonne journée, monsieur. »

Bon contrôle et belle manœuvre, se félicita Pharand en coupant la conversation. « J'ai réussi à être vache tout en restant à peu près poli! » L'autre, consciemment ou non, avait rattaché le voyage de Gisèle Gendron en Amérique du Sud à l'offensive contre la fondation créée par son père. Letarte laissait aussi entendre qu'il connaissait tout de l'expédition de la fille d'Aimé Gendron. Le policier se remémora les doutes de Pierrette : la cause des jeunes Gendron était-elle aussi solide qu'ils l'affirmaient? Les alliés secrets en étaient-ils à soulever leur domino?

Marceau arrivait. Pharand leva la main pour bloquer le déferlement des questions. La voiture démarra.

«Alors, ton urgence en était une vraie? Qui t'a appelé?»

L'appel à la patience s'était évanoui comme une rosée.

«Le prudent procureur. Il a reçu un appel de Letarte, l'avocat des jeunes Gendron. La fille Gendron, celle que tu comparais à un piranha, est morte.»

Marceau n'avait pas de goût pour les éloges funèbres.

«La sadique avait pourtant l'air en forme au salon funéraire. Et ça fait deux jours, trois jours! Mais, alors, qu'est-ce qu'on brette ici? Où est le corps?»

De nouveau, la main levée de Pharand tenta d'endiguer le déferlement. Avec un meilleur résultat cette fois.

«Respire par le nez, mon Jean-Jacques. Elle est morte là-bas.

— Là-bas?

— Iguaçu.»

Marceau renonçait enfin à ses supputations inutiles.

«Retiens tes questions, fit Pharand. Ça ne donnerait rien, parce que je tombe des nues, moi aussi. J'ai appelé Letarte. Aimable comme une porte de prison. Il n'a même pas voulu me dire ce que sa cliente bricolait en Amérique du Sud, mais il m'a promis un chien de sa chienne si nous continuons à nous aligner avec la fondation.

— C'est un deux de pique, ton placoteux! D'un

coin de la gueule, il te cache la raison du voyage, puis, de l'autre coin, il te dit de lâcher la fondation! Il a dû couler son examen de logique.

– Tu es dans la forme qu'il faut. Ramasse l'information avant que l'avocat nous lâche le ciel sur la tête.

– Il a déjà dû faire pipi dans les oreilles des journalistes.

– Sûrement, mais je gage que tu vas sortir de tes blocs comme Ben Johnson drogué. Première question, accident ou assassinat? Les gens sensés admettront qu'ils ne le savent pas, mais tu vas en trouver qui vont s'avancer le cou. La suite, je te la laisse.

– Je gage pour l'accident: il n'y a pas beaucoup de prédateurs qui mordraient dans les piranhas. Il leur faudrait des dents en acier inox. Et toi, qu'est-ce que tu vas faire de tes vieillissantes cellules grises?

– J'aimerais compléter mon cours de géographie avec ta belle Guaranie. Est-ce que le dénommé Letarte est déphasé ou est-ce qu'il a pris un coup d'avance sur moi? Il parle de la police argentine, mais peut-être qu'il jette tous les pays d'Amérique du Sud dans le même sac. Demande donc à ta demoiselle de nous rejoindre au bureau. Je vérifierai mes notions avec elle pendant que tu nous débroussailles les sources. Il faut savoir ce que cherchait la fille Gendron en Amérique du Sud et ce que ça change dans notre enquête sur le père.»

De bon poil, Marceau acquiesça.

«Si tu décides que Carlotta peut devenir une recherchiste à plein temps dans notre service, je vais lui faire de l'espace pas loin, pas loin!»

Chapitre 13

Non seulement Carlotta n'éprouvait aucun mal de mer en naviguant sur Internet, mais elle parlait et écrivait espagnol et guarani.

«Vos claviers n'aiment pas le guarani», avait-elle dit sans expliquer sa remarque et avant de faire comme si sa séduction apprivoisait les ordinateurs comme les humains.

Son carnet brun débordait de contacts et d'adresses électroniques des deux côtés du Parana. Pharand dut quand même refouler ses questions. Dès l'instant où la fouine d'un média de Québec le harponna au sujet de la mort de «la riche héritière Gendron», le policier modifia ses priorités. Il rangea au congélateur son éventuel recyclage en géographie et expédia aux relations publiques un courriel antiseptique pour consommation médiatique. Dans l'intervalle, Jean-Jacques et Carlotta avaient créé un ronronnant tandem de recherche et n'avaient plus qu'une vague perception du monde extérieur. Il gribouilla un mot à l'intention de Marceau: «De l'écrit tant que tu peux.» Message absorbé et réduit en confetti. Déjà, Carlotta recevait des réactions à ses courriels. «On les croit enfouis dans le tiers-monde, se dit Pharand, et cette enfant-là pitonne dix fois mieux que moi!» Un instant, Carlotta s'adressa directement à lui.

«La radio d'Iguaçu rapporte la mort d'une touriste.

— A-t-on des précisions? Accident? Enlèvement? demanda Marceau.

— Pas de détails, mais on parle d'une chute. Je connais les lieux, mais on ne donne aucune précision. Si l'accident s'est produit à Iguaçu, il y a plusieurs postes d'observation pour les touristes. Celui qui est le plus fréquenté est très haut. On s'y rend en ascenseur.

— Est-ce dangereux?

— Pas dangereux si on suit les groupes. Les guides sont avertis et les agences de voyages insistent là-dessus.»

Pendant que le duo aboutait les préoccupations policières et la familiarité avec les lieux et les langues, Pharand, bien malgré lui, ajustait son programme. Ce que sa paresse espérait confier à Marceau lui revenait selon la justice ironique d'un boomerang. «Allons-y!» Jouant de ses atouts policiers, il relança un agent d'information au ministère fédéral des Affaires étrangères. Nerveux comme la plus printanière des biches, poli et lisse comme un galet, exhibant un bel accent anglais à travers un français de type *bord de la Seine,* il transmit au policier ce qu'il savait, c'est-à-dire à peu près rien. Quelques éléments, cependant, étonnaient.

Même si le fonctionnaire souffrait d'une allergie aux termes nets, il était criant que Gisèle Gendron avait forcé leur aide. Son avocat avait exigé les papiers et visas requis par les pays contigus à la province de Misiones. Il eût été dégradant d'expédier madame vers les consulats et les ambassades pour qu'elle y remplisse elle-même les formalités! L'avocat, d'une politesse de même tonnage que celle de sa cliente, ayant invoqué l'importance des enjeux, les portes, grinçantes ou huilées sur leurs gonds, s'étaient ouvertes. Au Paraguay, pas d'ambassade du Canada. Un gentil consul honoraire avait détourné le trafic vers la lointaine Buenos Aires, en Argentine. «Letarte avait raison», se dit Pharand. Là, on avait essayé de soumettre les *exigences* de madame au régime minceur. Le porte-parole avait buté sur le mot et failli lui substituer celui de *caprices*. Que venait faire Iguaçu dans ce voyage brusqué et traversé, comme diraient les météorologues, de «cellules orageuses»? Si tout presse au point d'alerter la planète entière, pourquoi ce détour par un site touristique? L'agent d'information n'osait extrapoler et préférait revenir à la géographie.

«Les distances sont assez importantes entre Asunción au Paraguay et Posadas en Argentine. On ne nous a pas parlé d'Iguaçu. Nos services en Argentine ont suggéré la location d'une voiture ou d'un avion privé et l'embauche d'un guide-interprète. Madame a refusé. À partir d'Asunción, elle se débrouillerait.»

Autre note dans le calepin de Pharand, encore inspirée des remarques de Pierrette: qui aidait Gisèle Gendron après Asunción? L'urgence dictait le comportement de la mégère, mais le policier ne décodait pas l'objectif. L'urne contenant les cendres d'Aimé Gendron n'était pas encore refroidie que l'héritière Gendron se déguisait en exploratrice et entamait une course contre la montre.

« Est-ce que vos services savent comment elle a organisé son voyage à partir d'Asunción? Avec quelle compagnie de location de voitures ou d'avions? Je vais évidemment entrer en contact avec la police qui mène l'enquête là-bas, mais ça ira sûrement plus vite si je suis plus précis... »

La gêne du fonctionnaire devint palpable. Si la police québécoise, en mal de visibilité, froissait les susceptibilités régionales, la diplomatie canadienne servirait un savon à son sous-fifre trop bavard. Pharand pivota :

« Laissez tomber. J'établis le contact avec les policiers de là-bas et je leur offre notre collaboration. »

« Policiers de là-bas! » C'était flou, global, rassurant et insignifiant. En plein ce qu'il fallait...

« Bonne idée, monsieur Pharand. Notre ministère préfère ce genre de relations. »

Sitôt terminée sa futile incursion sur les carpettes diplomatiques, Pharand prêta l'œil et l'oreille au chassé-croisé entre Marceau, Carlotta et les correspondants que celle-ci relançait en passant d'un pays et d'une langue à l'autre. Lubie, enthousiasme subit, conversion ou calcul, quelque chose avait poussé Aimé Gendron à sympathiser avec une ethnie blessée par l'histoire et à verser des millions à une inconnue de quarante ans sa cadette. Quant à celle-ci, sa performance, qui jetait

Marceau dans l'extase, sidérait Pharand aussi. Elle maintenait une cadence affolante dans ses questions, coupait court aux dérives, ramenait impitoyablement les interlocuteurs à ses priorités. Impressionnant. Presque trop.

Modérant son admiration, Pharand ajouta une note dans son calepin: « Disque dur de C.A. » Dans ses échanges avec l'Amérique du Sud, la jeune femme puisait des adresses dans un petit calepin, mais le disque dur de son ordinateur contenait sûrement d'autres références. Il deviendrait irremplaçable s'il fallait localiser les correspondants et circonscrire les tractations. « Au fait, je n'ai pas vu son ordinateur chez elle... » Nouvelle note.

Marceau surveillait comme un guetteur apache l'impression haletante des courriels. L'ordinateur, vaniteux comme le fort en thème qui a toujours le doigt en l'air et la réponse à la bouche, signalait chaque arrivée. Le policier effectuait le tri. « Jean-Jacques ne mêle pas les pommes avec les poires, se dit Pharand avec satisfaction. Ce qui regarde sa recherchiste préférée, il le lui transmet, mais elle n'a pas accès à nos secrets. Chapeau! » Sans quitter des yeux la voltige des messages, Marceau en résuma la portée.

« Carlotta connaît bouille par bouille la confrérie des guides touristiques et des pilotes qui se promènent entre Posadas, Encarnación, Iguaçu, San Ignacio... Le dernier courriel vient d'un gars de la tour de contrôle d'Asunción. Il a vu arriver le vol de la fille Gendron et il a lui-même autorisé tout de suite après le départ du petit avion qui devait la conduire d'Asunción à Encarnación. De là, ils sont allés à Posadas, de l'autre côté du fleuve. Après, ils ont repris l'avion pour un autre saut de puce jusqu'à quelques kilomètres d'Iguaçu. Beaucoup d'argent, pas beaucoup de temps. Et il paraît que madame a un fichu caractère! »

Discrète, mais éloquente, une lueur s'alluma dans le regard de Carlotta.

« Près d'Iguaçu, je ne sais pas encore ce qu'elle a fait. Elle a pourtant dû se faire guider, ajouta-t-elle, parce qu'il faut trouver le chemin ou, si l'on a un guide, le meilleur point de vue. Si on prend l'ascenseur pour le belvédère, on attend, comment dites-vous? le tour..., son tour? Elle avait dit au pilote de l'avion de l'attendre à l'entrée. Un de mes amis a parlé au pilote. Elle cherchait quelqu'un. Elle a dit qu'elle voulait voir si Iguaçu était un site rentable. »

Pharand tiqua devant l'expression de Carlotta: « Je ne sais pas *encore...* » Façon d'affirmer qu'elle ne resterait pas dans le noir. Elle avait cité Gisèle Gendron en mode ironique, comme si quelqu'un osait *vérifier* la popularité de la pyramide de Khéops. Madame voulait-elle refaire le classement du Patrimoine mondial?

« Le pilote a attendu une demi-heure, poursuivit la jeune femme. Puis quelqu'un s'est précipité au poste de sécurité: il avait vu un corps rouler dans le vide. Il y a un garde-fou en haut, mais on ne sait pas si madame Gendron a choisi l'ascenseur. C'est plus dangereux si on s'éloigne. »

Marceau enchaîna:

« Je n'ai pas vu la hauteur du garde-fou, mais Gisèle Gendron ne ressemblait pas au géant Beaupré. Qu'un grand six pieds bascule s'il se penche par-dessus une clôture, je suis payé pour le comprendre, mais elle, elle devait avoir le garde-fou à la hauteur des oreilles. »

La jeune Guaranie se dressa et fit lever Marceau.

« Elle avait la même grandeur que moi. »

Il n'y avait pas à s'y tromper. Le garde-fou que Marceau aurait rencontré à hauteur de ceinture annulait tout risque pour une femme d'à peine plus d'un mètre et demi.

« Que dit la police? demanda Pharand.

– Rien, laissa tomber Marceau sous l'œil vigilant de Carlotta. L'ascenseur s'ouvre et se referme sans arrêt. Demandes-tu aux gens avec qui ils ont pris l'ascenseur en arrivant à l'hôtel? Personne n'a prêté attention à la madame. Tu vois les hypothèses : elle a peut-être utilisé l'ascenseur, mais ce n'est pas sûr, elle a pu trouver sa façon de tomber, quelqu'un a pu la faire passer par-dessus bord. D'ailleurs, attention. »

Il brandit deux doigts en V, mais ce n'était pas pour imiter Churchill.

« Un, elle cherchait quelqu'un. Du moins, c'est ce que dit son pilote. Deux, rien ne prouve qu'elle a suivi le chemin des touristes. Elle avait la tête plutôt dure, notre défunte.

– Attendez un peu, fit Pharand en levant ses paumes comme pour calmer des enfants querelleurs. On parle d'une touriste disparue et de quelqu'un qui roule dans le vide. C'est mince pour affirmer que Gisèle Gendron est morte et encore plus mince pour penser à un meurtre. »

La remarque, insipide, visait à freiner Marceau qui se répandait devant Carlotta en commentaires non censurés. Plus intuitive que le fringant policier, Carlotta exprima d'un raidissement de ses maxillaires sa fatigue et son désarroi. Était-ce à cause des commentaires rugueux qu'eux, en habitués des drames et des traumatismes, se prodiguaient comme autant de mièvres critiques de la température? Cette tension de Carlotta, Pharand l'imaginait. Leur zèle de flics faussait leur perception de la décence. Depuis plusieurs mois déjà, la jeune femme subissait de vicieuses pressions. Les enfants Gendron et leur vorace avocat lui rendaient l'air irrespirable, pendant qu'à l'autre bout, en Amérique du Sud, la fondation agonisait dans l'effondrement de ses espoirs. À cela s'ajoutait le rôle que les policiers exigeaient d'elle : trouver des interlocuteurs en Argentine ou au Paraguay, les interroger, traduire espagnol et guarani en français... À elle seule, la vue de cette étrangère installée devant l'ordinateur d'un policier et emportée par la tourmente d'une enquête relevait du surréalisme. De quels raisonnements tordus résultait ce non-sens? « Nous sommes en train de donner raison à Letarte, se dit-il. Il n'y a plus moyen de l'interroger en cour comme un témoin neutre. » Certes, ils avaient besoin d'elle, il faudrait calibrer l'information recueillie grâce à elle. Retrouver dans le disque dur de l'ordinateur de Marceau les courriels échangés en guarani et même en espagnol leur serait d'un secours limité. Comment départager ce qu'ils attendaient de l'interprète et l'information qu'ils désiraient sur la fondation? Collaboratrice ou témoin neutre?

Le policier ne se limitait pas à ce mélange de compassion et de mauvaise conscience. Certes, la jeune femme méritait des égards en raison des malheurs qui fondaient sur elle et dont les policiers n'avaient pas amorti les chocs. Certes, l'enquête prêtait flanc à la critique en traitant en informatrice un témoin important. Mais Pharand s'adressait d'autres reproches: le manque de recul qu'il avait noté chez Marceau, voilà qu'il se le permettait. Comme si, en aidant à l'enquête, Carlotta, consciemment ou non, parvenait à y échapper. Elle imposait ses règles. En un sens et sans doute à son insu, elle orientait l'enquête, à la manière des canaux de dérivation temporaires: ils détournent le regard du lieu où vrombiront les turbines.

«Vous êtes à l'aise sur Internet? demanda-t-il.

– J'ai suivi des cours à Posadas et j'en suis depuis que je suis au Québec.

– Est-ce que beaucoup de gens sont abonnés à Internet en Argentine ou au Paraguay?

– Presque personne au Paraguay, beaucoup plus en Argentine. Pas autant qu'ici, mais pas mal de monde, surtout dans les bureaux.»

D'un clin d'œil discret, Marceau attira l'attention de son collègue sur son calepin. «Deux précautions valent mieux qu'une», se dit Pharand.

«J'imagine que la fondation utilise Internet?

– Beaucoup. C'est plus rapide et ça coûte

moins cher. C'est répandu dans les agences de voyages et les services publics. On peut réserver des chambres, des billets d'avion...

— Vos informations, elles viennent surtout de gens avec qui vous travaillez?

— Oui. Nous nous rendons des services. Une fois, on m'envoie un groupe. Une autre fois, je suggère à un couple de visiter Iguaçu et de loger à tel hôtel.

— Vos amis ne doivent pas aimer que les touristes aient peur... »

Déjà en alerte, Carlotta saisit le sens de l'observation et hocha la tête. Bien sûr, l'industrie touristique râlerait si un tueur hantait Iguaçu pour jeter les voyageuses en bas des falaises. Beaucoup des contacts de Carlotta devaient leur pitance aux étrangers. Pharand pivota à nouveau.

« Est-ce que la fondation de monsieur Gendron est bien connue chez vous? »

Le changement de registre fit sursauter Marceau qui ne vint pourtant pas à la rescousse de Carlotta.

« Monsieur Gendron était déjà admiré avant la fondation.

— Quand vous parliez de vos promesses, est-ce que c'est à cela que vous pensiez? »

Autre pas de côté. Simple et éloquent hochement de tête. Marceau frétillait sur sa chaise. Les questions s'imposaient, mais elles tarissaient l'atmosphère de collaboration dont s'étaient imprégnés leurs rapports. Il appréciait peu les tirs groupés auxquels Pharand s'adonnait maintenant.

« Est-ce que vos partenaires de là-bas vous avaient informée de la mort de madame Gendron ou si vous avez été alertée par nous avant qu'ils soient au courant? »

Elle accusa le coup. Marceau aussi.

« J'ai reçu des nouvelles de Posadas ce matin.

— Donc, nous ne vous avons rien appris? »

Hésitation. Rougeur montante sous le cuivre des joues. Elle ne mentirait pas, mais elle avait visiblement redouté la question. Elle mena mollement un combat d'arrière-garde.

« Rien n'était certain quand j'ai commencé à recevoir des informations. »

L'entretien sautillait d'un terrain à l'autre. Volonté manifeste chez Pharand de déstabiliser un témoin pour en jauger la crédibilité. Il n'aimait pas appliquer la méthode à une jeune femme déboussolée par l'effacement de ses repères, mais ce qu'il exhumait l'obligeait à poursuivre. Marceau, écartelé entre sa sympathie pour Carlotta et l'admiration due au flair de son collègue, se préparait déjà, selon le classique balancier du *good cop, bad cop,* à restaurer la relation que Pharand mettait à mal.

« Comment réagissent ceux qui comptaient sur la fondation pour leurs projets?

— Je ne sais pas. »

La dénégation ne pouvait constituer le point final. La jeune femme déglutit avec effort et étoffa un peu sa réplique.

« Je n'obtiens pas de réponse de mon ami à notre bureau. »

Cela ne satisfaisait pas encore la curiosité des policiers.

«Depuis quand cherchez-vous à rejoindre votre "ami"? demanda Marceau.

– Depuis hier soir. D'ordinaire, nous échangeons des courriels plusieurs fois par jour. Hier soir, il n'a rien envoyé, ni ce matin. J'essaie de le rejoindre depuis que je sais que madame Gendron s'est rendue là-bas... Lui pourrait vous répondre.»

Elle hésitait à prononcer le mot de mort. Marceau tenta de lui tendre une perche.

«Peut-être le décalage horaire?

– Nous ne sommes pas en Europe», fit-elle sans rire.

Pharand n'était pas le seul à avoir besoin d'un cours de géographie supplémentaire ou d'une initiation aux jeux d'horloge entre le nord et le sud!

«Alors, les courriels de ce matin, ils proviennent surtout de gens avec qui vous avez des relations d'affaires.

– Oui, plusieurs. Nous sommes tous Guaranis, d'Argentine ou du Paraguay. Nous dépendons presque tous du tourisme. Ce travail nous fait vivre, mais nous comptions sur monsieur Gendron pour devenir plus utiles à notre peuple. Puisque monsieur Gendron était d'accord, mes amis pensaient que la fondation aurait du travail pour des archéologues, un musée, des tours consacrés à l'histoire guaranie, une école de musique... Tout le monde est inquiet depuis la mort de monsieur Gendron.»

Son regard aurait attendri un tortionnaire en uniforme.

« C'est pour ça que nous correspondons beaucoup. »

La situation devenait plus complexe et plus claire. Un million en distribution, au moins un autre presque à destination, voilà de quoi mettre en ébullition les voracités habituelles, mais aussi les espoirs de dizaines de jeunes. Pharand complétait de son mieux le réseau qu'esquissait sous ses yeux la jeune femme. Son expérience de policier lui enseignait que de tels maillages départagent la mort et la vie dans le monde du renseignement. Carlotta en livrait une équivoque illustration. Tel jeune à l'emploi d'une compagnie d'aviation observe en spécialiste les arrivées et les départs de tous les appareils. Tel autre met le nez dans les réservations d'hôtels. Tel autre canalise les demandes de tours guidés. Rares sont les touristes qui échappent à ce faisceau d'observations. Le visiteur qui exprime un besoin alerte une oreille qui relaie le signal et apparie gentiment la demande et l'offre. Comme les familles dites étendues, ces réseaux étendent des ramifications d'autant plus tentaculaires et ingénieuses que s'y greffent les intérêts de nature culturelle, linguistique ou sociale. Le policier s'imprégnait de l'insistance de la jeune femme sur la langue et la culture guaranies. Déjà, Aimé Gendron s'était incliné devant sa détermination. Au point d'inciter Carlotta à orienter les fonds vers le seul pays, où le guarani avait statut de langue officielle, le Paraguay.

« L'inquiétude, je la comprends, fit lentement Pharand. Mais qui vous en veut? Certains des jeunes? »

Elle leva vers lui un regard lourd de tumultes refoulés. Peut-être avait-il dramatisé la phrase, plusieurs fois reprises, où elle évoquait son imprudence: «J'ai fait des promesses...» Bien sûr, les héritiers Gendron la criblaient de menaces; il songeait maintenant aux jeunes, aussi fervents qu'elle, dont elle avait stimulé les attentes.

«Je ne pense pas. Mais il y en a qui veulent que je me batte contre les enfants de monsieur Gendron.

— Pour sauver la fondation? demanda Marceau.

— Oui. Et pour garder ce qui est déjà là.»

Moment d'hésitation chez Pharand. Il s'en voulait de ne pas *avoir couvert ses angles* comme l'aurait fait un bon gardien de but. Depuis son échange avec l'intuitive Pierrette, il pressentait que la fondation n'avait pas à prier saint Jude, patron des causes désespérées. Elle avait repris assez de vigueur, en tout cas, pour que le notaire soit obsédé par les dates, pour que Letarte accuse la police de manifester de la partialité, pour que Gisèle Gendron se rue vers les chantiers de la fondation... Les indices convergeaient. Ce qu'il avait géré comme une simple enquête sur un homicide se gonflait en affrontement musclé entre des intérêts divers et costauds. Aux côtés de la sympathique Carlotta se profilaient peut-être des carnassiers comparables à ceux de la jeune génération Gendron. Il était temps que leur duo rende plus neutres ses relations avec la jeune Guaranie. Il la remercia de son aide, mais son merci sincère fermait doucement la porte.

«Nous allons collaborer le plus possible avec la police de chez vous. Monsieur Marceau vous expédiera par Internet les courriels qui ont circulé ici ce matin grâce à vous. Vous consentez à lui donner votre adresse électronique? Vous avez un ordinateur à votre appartement?

– Oui. Je vous écris mon adresse.»

Pharand se demanda une fois de plus où se cachait l'ordinateur dans l'appartement de la rue Scott. Mais, surtout, il songeait sans plaisir aux mesures qui provoqueraient l'éruption du volcan Marceau.

Chapitre 14

La technicienne tenait parole. Conseils pharmaceutiques à l'appui, elle livrait la liste des petits et gros maux auxquels les médicaments de l'infirmière Doiron devaient remédier. En l'absence de dossiers médicaux nominatifs, impossible, toutefois, d'affirmer que tel médicament était utilisé de façon optimale. La posologie n'étant que rarement mentionnée, les malades demeurant anonymes, les mêmes médicaments pouvant concerner plusieurs patients, impossible d'émettre un avis sur les choix médicaux ou sur la compatibilité des médicaments dans le traitement d'un malade en particulier. Aucun produit ne pouvait être considéré à sa face même comme destiné à un usage criminel. Ni curare, ni mort-aux-rats, ni... La technicienne confirmait, après consultation encore, que les mesures préventives exigées par certains pays tropicaux, vaccins ou comprimés oraux, pouvaient tomber sous tutelle hospitalière. La plus grande prudence s'imposait «si l'on utilisait des produits visant la prévention de maladies tropicales en même temps que ceux prescrits à d'autres fins». Rien de plus. «Seule utilité de la perquisition, se dit Pharand, la colère de l'infirmière...»

Marceau lut le rapport de la technicienne après son collègue. Il le retourna vers Pharand en vol plané et fit un noble effort pour privilégier les côtés roses de l'expertise.

«Au moins, c'est rapide et compréhensible. J'avais peur de recevoir un dictionnaire de chimie.

– Ça répond à toutes les questions sans intérêt, fit Pharand.

– Est-ce que tu regrettes d'avoir joué du violon sur les nerfs de l'infirmière?

– Oui et non. La mort de Gendron était suspecte et elle l'est encore plus depuis que sa fille est morte elle aussi. Il n'y a pas de preuve que l'infirmière a mêlé les médicaments, mais elle est en furie. Ça, ça donne une *vue périphérique*.»

Si le jargon des pénétrants chroniqueurs sportifs reprenait du service, Pharand était en bonne voie!

«Programme? demanda Marceau.

– Il doit bien y avoir dans le service un policier qui parle espagnol. Trouves-en un et confesse au plus coupant la police de là-bas. Des deux côtés du fleuve.

– Posadas en Argentine et Encarnación au Paraguay, pavoisa Marceau.

– Fais quand même attention au décalage horaire, répliqua Pharand, comme il aurait dit à un paon de mettre ses plumes en ordre.

– Bon Dieu, André, ils passent leur temps à nous dire à la radio *une heure plus tard dans les Maritimes*. Quand c'est loin comme le pôle Sud, je me suis dit qu'il y avait forcément dix-douze heures de différence! Il va falloir que je suive encore des cours de Carlotta. C'est dur, mais je ferai les sacrifices qu'il faut...

– J'ai besoin de cours plus que toi. Attends ton tour! »

Ils ne poussèrent pas plus loin. Il faudrait reparler de Carlotta, mais Pharand redoutait l'échéance.

« Alors, ta première urgence, c'est un appel à tous. Y a-t-il dans cette bâtisse quelqu'un qui parle espagnol? Avec ta paranoïa, tu te fies aux traductions de Carlotta, mais tu ne confies pas tous tes œufs à une seule couveuse, c'est ça?

– Consulte le service du personnel, fit Pharand en passant au large de la remarque. Ils vont te répondre en cinq minutes. S'ils trouvent quelqu'un qui parle et lit l'espagnol, fais-lui lire les courriels que Carlotta a expédiés ou reçus aujourd'hui. Elle a son réseau et ses antennes fonctionnent trois mille tours par minute plus vite que leurs policiers. Ils sont sur place, ils ont des oreilles dans les agences de voyages, ils prennent les touristes en charge... En plus, ils ont décidé de se battre pour leurs emplois et pour une cause. Un militant, ça peut être plus motivé qu'un policier qui n'est même pas sur les lieux... Moi, je reparle au prudent procureur. C'est lui qui a reçu le téléphone de l'avocat des Gendron et je veux lui demander un autre mandat de perquisition.

– Tu veux que le porc-épic de la rue Ploërmel te trouve encore d'autres défauts?

– Non, dut avouer Pharand. Ce que je veux, c'est la comptabilité de la fondation et son cahier des décisions. »

Marceau se rembrunit.

« Contre qui ce mandat de perquisition? Carlotta? »

Pharand tenta encore d'éluder la question.

« Écoute un instant. Si la fille Gendron a sauté dans un avion, c'est que des fonds sont engagés ou sur le point de sortir. Cela doit se voir dans les procès-verbaux de la fondation ou dans la comptabilité. Avec la comptabilité de la fondation, on va savoir toi et moi si Gisèle Gendron a couru en Amérique du Sud pour récupérer des fonds.

— D'accord, mais pourquoi viser Carlotta?

— Écoute un instant, Jean-Jacques, répéta Pharand, forcé et mécontent d'entamer le débat plus tôt que prévu. Mets-toi dans la peau du prudent procureur. Il va nous dire ceci : d'accord, vous avez besoin de la comptabilité, des procès-verbaux, des autorisations de signatures, mais tout ça est éparpillé. Une partie chez Letarte, une partie chez le notaire, une partie chez Carlotta, une partie dans une banque ou une caisse populaire. »

Marceau écoutait. Il n'aimait pas que Pharand se conduise comme l'ennemi public numéro un de la belle Carlotta.

« En lançant un mandat de perquisition contre tous ces gens, personne ne pourra prétendre que nous étions préjugés contre les enfants Gendron ou leur avocat...

— Encore la couverture de tes angles?

— Sans décalage horaire! »

L'explosion n'eut pas lieu, mais la bombe faisait tic-tac.

Chapitre 15

Contrairement à une situation similaire qu'il avait vécue quelques années auparavant et qui impliquait la France et le Québec[1], Pharand n'avait aucun intime apte à le guider en Amérique du Sud. Les langues lui étaient opaques, les cultures tout autant. Personne, parmi les homologues argentins ou paraguayens, n'avait encore mérité la confiance aveugle offerte à Féroc, son collègue et ami breton. Beaucoup, beaucoup trop, dépendait de Carlotta, qui n'appartenait pas à la confrérie et qui avait droit à ses propres visées. Un facteur délicat s'ajoutait : le parrainage que Marceau exerçait sur Carlotta et qui, même en reflux, faisait de sa susceptibilité une mine vivante.

Malgré son manque de familiarité avec Internet, Pharand réussit quelques vérifications. S'il avait pu se délester d'une trentaine d'années, nul doute que le policier aurait adoré ce lèche-vitrines. À son âge et dans les circonstances, Internet constituait au mieux un SOS lancé par sa paranoïa policière. Source neutre, Internet tami-

---

1. Voir *Les Mortes du Blavet*, du même auteur.

serait les allégations du témoin-collaboratrice-interprète Carlotta.

La jeune femme n'avait nullement exagéré la différence dans les taux de pénétration d'Internet en Argentine et au Paraguay : 2,7 par cent personnes au Paraguay contre 26,4 en Argentine. Le plus bas taux d'Amérique du Sud, inférieur même à celui de la Bolivie. Le Canada? Un poil au-dessus de 68 pour cent à la fin de 2005. Instruction? L'alphabétisation dépassait le seuil des 90 pour cent, mais cela n'était élogieux que pour l'enseignement primaire. La scolarisation des jeunes Paraguayens de 12 à 17 ans marquait un retard de 30 et de 40 pour cent sur les taux du Brésil, de l'Argentine, du Chili. Plutôt ennuyé, Pharand lisait ces indicateurs avec une moue. Le Québec passait pour un pays alphabétisé, mais combien savaient lire ou pouvaient s'exprimer? Au chapitre du métissage, le Paraguay affichait un taux nettement supérieur à 90 pour cent. Tout cela à cause de l'entêtement guarani? Sûrement pas. Le Mexique honorait ses leaders autochtones, mais, plus rancunier que les Québécois ou les Acadiens, répugnait à édifier des monuments à ses conquérants européens. Urbanisation? Nouveau fossé entre le Paraguay et ses voisins : à peine plus de la moitié des Paraguayens habitaient la ville, mais le Chili, l'Argentine et surtout l'Uruguay dépassaient des seuils d'urbanisation de 80 et même de 90 pour cent. Pays bloqué dans ses frontières de vaincu, le Paraguay encaissait pourtant les tristes retombées de son retard : l'endettement du pays pesait moins et la consommation d'énergie était trois fois moindre qu'au Chili, six fois moindre qu'en Argentine. Pharand survolait ces chiffres, y cherchant surtout ce qui pourrait révéler l'emprise de la propagande et des simplifications caricaturales sur Carlotta et son groupe. Comment pouvait réagir Carlotta? Comment une Guaranie de 20 ans pouvait-elle interpréter le présent de son peuple et concevoir son avenir au Paraguay? Quelles aspirations faisaient surface lorsqu'un Gendron ouvrait à l'espoir des possibilités concrètes? Toujours surgissait la question de Pierrette: est-ce un pays sans avenir?

Pharand se secoua et chercha ses marques. Était-il utile d'ergoter en sociologue du dimanche et réaliste de croire qu'une demi-heure de lèche-information sur la grande toile lui dévoilerait les visées de Carlotta et de ses pareils? Il ne voulait pourtant pas non plus se conduire en yoyo. Dans chaque enquête, il faisait du motif du crime son fil conducteur sans jamais se borner au mobile pécuniaire. Il fauchait large. Un motif est un moteur, qu'il découle d'une idéologie ou d'une fureur de primate. Si, dans ce cas-ci, un projet porteur d'émancipation était bloqué par un tandem d'arrivistes enfantés au Nord, pourquoi ne pas l'éliminer avec la sérénité du dynamiteur qui fait sauter l'embâcle? Tel jeune Guarani pouvait ainsi se présenter en fils spirituel d'Aimé Gendron lui-même. Depuis un moment, Internet ronronnait dans le vide, tandis que Pharand caressait ses premières supputations. Après tout, à la source de cette enquête, il n'y avait que son doute, humble et fragile, au sujet de la tutelle imposée à Gendron. Si le PhD avait eu raison de juger le millionnaire inapte à se gérer, le reste relevait du hasard. Puis, le pendule reprenait son envol: «Il a bon dos, le hasard! Un décès, passe encore. Deux en quelques jours, ça bloque dans ma gorge.»

Reprendre le débat avec Marceau au sujet de Carlotta ne lui souriait guère. Lâchement, il convertit en sursis la conversation animée que menait son collègue au téléphone. Chercher un interprète qui siégerait en appel des traductions offertes par Carlotta, cela devait déjà tordre les nerfs de Marceau en petites boules piquantes... Pharand en profita pour se tourner vers un autre front, celui du procureur.

«Bonjour, monsieur Pharand. Qu'est-ce qui me vaut votre appel?

– Un rapport d'étape et une nouvelle demande. J'ai parlé à l'avocat Letarte, mais ça n'a pas été l'entente cordiale. Il le prend de haut et nous accuse de partialité à l'égard des enfants Gendron.»

Aucune réaction. Autre chose préoccupait le procureur.

«En savez-vous plus long sur la mort de Gisèle Gendron?

– Rien de précis encore. J'ignore comment Letarte a été alerté. Je ne sais pas non plus pourquoi il réagit de manière aussi agressive. J'ai bien quelques hypothèses...

– Comme?...

– Comme celle-ci. Le voyage de Gisèle Gendron semble improvisé, mais elle avait un filet de sécurité et Letarte a dû aider à la planification.

Elle a refusé l'aide des diplomates canadiens en Argentine. Le Canada n'a pas d'ambassadeur au Paraguay.

— Elle a pu louer un avion et embaucher un guide ou un pilote bilingue. Ça se fait couramment, non?

— Sans doute, fit Pharand. Mais je la trouve débrouillarde pour une femme à son premier voyage en Amérique du Sud. Voulez-vous écouter encore ma paranoïa?

— Si vous n'aviez pas cette qualité, monsieur Pharand, vous ne seriez pas un aussi bon policier! Que dit-elle?

— Que Gisèle Gendron, avec ou sans l'aide de son avocat, a appris quelque chose au sujet de la fondation. Une sortie de fonds ou une échéance. Si elle s'est dépêchée, ce n'était pas pour le fracas des chutes, mais pour parler à quelqu'un...

— Si je me fie au cinéma, monsieur Pharand, les chutes valent le détour!

— Pour un connaisseur comme vous, sûrement, fit le policier sur un ton léger, mais pas pour Gisèle Gendron.

— Votre paranoïa me paraît assez bonne conseillère. J'imagine que vous voulez identifier ces personnes. Est-ce à ce sujet que vous aviez quelque chose à me demander?»

Le procureur n'était pas seulement prudent. Il avait une redoutable densité d'écoute et la mémoire assortie.

«En effet. Je voudrais affronter l'avocat et l'autre héritier Gendron sur un pied d'égalité.

— Donc, accès à la comptabilité, aux comptes rendus de la fondation, quelque chose comme cela?

— Vous avez mis le doigt dessus. Pour brouiller les pistes, j'aimerais viser plusieurs cibles. L'ancienne responsable de la fondation, les deux enfants Gendron...

— La fille est morte et vous soupçonnez un meurtre, coupa le procureur. Justification irréprochable. Procédez à la fouille qui vous paraît nécessaire. Au besoin, mettez les scellés. Pour le fils, je suis d'accord. Et qui encore? »

Le ton était neutre et Pharand n'y lut ni impatience ni ironie.

« La banque ou la caisse populaire qui avait le compte de la fondation, le responsable de l'incorporation de la fondation et de la rédaction du testament... »

Pharand n'insistait surtout pas. Plus que d'une autorisation du procureur, c'est d'une réponse à Marceau dont il avait besoin. Un refus lui aurait presque convenu.

« J'ai plus de difficultés avec la dernière partie, répliqua le procureur. Je vais demander les autorisations, mais vous me feriez plaisir si vous les gardiez dans votre poche. »

Pas d'agressivité, mais une réticence boulonnée. Pharand obtenait confirmation de ce qu'il avait annoncé à Marceau. Il revint aux commentaires du notaire. Les dates devenaient moins névralgiques, mais il fallait vider l'hypothèse. Le testament était-il le geste inattaquable d'un gestionnaire sain d'esprit ou la lubie d'une personne déjà jugée sénile?

«Les enfants Gendron et leur avocat vont évidemment prétendre qu'Aimé Gendron délirait au moment de tester.»

Étrangement, les deux hommes parlaient des enfants Gendron comme si la fille vivait toujours. Prudence et paranoïa faisaient bon ménage.

«Ils ont fait leur lit. Mais ma paranoïa n'est pas épuisée! Si Gisèle Gendron se précipite en Amérique du Sud, je soupçonne une urgence.

– Dans le genre?...

– Si la fondation détenait des chèques postdatés dont les enfants Gendron viennent d'apprendre l'existence...

– En effet, il y aurait urgence. Et cela expliquerait que Letarte veuille vous éloigner de la fondation. Je vous comprends mieux.»

Ils étaient sur la même longueur d'onde. Pas au point, toutefois, d'inciter le procureur à la témérité.

«La cueillette peut-elle se faire sans l'artillerie lourde?»

Pharand hésitait à répondre. Il avait déjà à son passif la colère de l'infirmière et il ne voulait pas que d'autres susceptibilités viennent renforcer le clan des réticents. Le procureur le sentit prêt à négocier.

«Dans le cas de madame Alvarez, votre demande est pertinente et vous pourrez probablement lui faire accepter la perquisition. Elle gagne à être traitée sans passe-droit. Un mandat de perquisition la met à l'abri des accusations. Si vous l'exemptiez de la procédure, Letarte critiquerait votre partialité. Nous nous comprenons? »

Pharand était parvenu, par ses chemins, à la même stratégie.

« Toujours ce doute exemplaire? »

C'était un compliment et une entente.

« Je mets la procédure en marche. Vous me confirmez dès que possible que la famille Gendron est réduite à une seule personne? J'en fais autant si j'extrais quelque chose de la bureaucratie fédérale. »

Chapitre 16

Sitôt Pharand libéré du téléphone, Marceau lui présenta le policier qui, depuis plusieurs minutes, remplissait l'espace de sonorités inhabituelles.

« Réjean Lemay, André Pharand, dit-il simplement. Vous avez dû vous croiser dans les corridors de la centrale. »

Presque aussi costaud que Marceau, Lemay n'en avait pas la faconde. Du coin de l'œil, Pharand l'avait pourtant vu s'échauffer et hausser le ton pendant ses conversations en espagnol. Barbu, le poil du poitrail empiétant sur la chemisette à col ouvert, il s'exprimait en français avec la douceur d'un médiateur matrimonial. Est-ce que les personnes modifient leurs chromosomes quand elles s'expriment dans une autre langue? « Décidément, j'ai la manie des plongées profondes de ce temps-là! » L'important se limitait à une question que Pharand posa pour la forme en s'excusant de sa brusquerie : Lemay était-il à l'aise en espagnol? Lemay établit ses références en candidat assuré de l'emploi.

« J'ai rencontré une Uruguayenne de Montevideo et je vis avec elle depuis huit ans. Elle m'a appris l'espagnol et elle parle espagnol avec nos enfants. »

Marceau précipita les choses.

« Réjean a parlé avec la police de Posadas. On a la confirmation : c'est bien Gisèle Gendron qui est morte.

– Ils ont le corps?

– Oui. Passablement amoché, d'après ce qu'on m'a dit. Elle a déboulé en bas d'une falaise. Des dizaines de mètres au moins en rebondissant d'une corniche à l'autre. Du roc, des plantes coupantes. Les morceaux sont encore attachés ensemble, mais ils n'ont pas compté les fractures. Encore beau que le corps n'ait pas roulé jusqu'au fleuve, sinon...

– Les chutes, c'est aussi violent qu'on le dit? demanda Marceau.

– Assez pour qu'on ne s'entende pas parler, répondit Lemay. Je les ai vues. Le problème, c'est que, si le corps avait abouti dans le fleuve, vous auriez à négocier avec une brassée de corps policiers. Une police sur une rive, une autre sur l'autre côté, une troisième pas loin. De l'espagnol d'un côté, du portugais de l'autre, vous voyez le genre.

– Donc, résuma Pharand, vous avez parlé à la police de Posadas, en Argentine, et elle a le corps, c'est ça? »

Hochements de tête de Marceau et de Lemay.

Pharand, déterminé à précéder l'avocat des enfants Gendron, passa rondement aux suites à donner à l'enquête.

« Est-ce que les policiers de Posadas sont prêts à nous raconter ce qu'ils savent? »

Sourire un peu embarrassé de Lemay.

« Êtes-vous déjà allé là-bas, monsieur Pharand? »

Celui-ci pressentit ce qui s'en venait.

« Ceux qui ont le pouvoir sont loin, loin, loin?

– C'est une partie du problème. Jean-Jacques et moi, nous avons parlé à un enquêteur de Posadas. C'est au fond d'une province qui est leur Nunavik à eux autres. Le gars doit vérifier par en haut s'il peut parler, il va se pencher vers le bas pour obtenir des détails de la police la plus proche d'Iguaçu. C'est déjà beau qu'il nous dise que la madame est morte et que le corps est dans un tiroir. Avant qu'ils disent s'ils soupçonnent un meurtre ou s'ils mettent ça dans la colonne des accidents, on a le temps de prendre plusieurs cafés...

– Ça risque d'être long? Pire qu'avec nos comités d'étude?

– Écoute, André, coupa Marceau, je vais te dire ça en mots carrés et Réjean dira si j'exagère. La première chose que notre collègue voulait savoir, c'est combien *pèse* la femme Gendron. »

Comme Marceau se frottait le pouce de la main droite contre l'index et le majeur, il fallait donner au terme de *peser* son sens le plus pécuniaire.

« Si la famille de la victime *pèse* lourd, l'enquête peut embrayer plus vite ou ne pas aboutir! Au choix. »

Pharand se suçait l'intérieur des joues.

« Vois-tu, reprit Marceau, l'enquête peut niaiser. Si tu paies, on t'en dit plus long. Si tu préfères ne pas savoir, on peut t'arranger ça. Si tu as l'air d'une valise, on coupe l'information en tranches de saucisson et on te les vend une par une. On peut aussi te faire le coup de l'indicateur qui est prêt à parler si on huile ses joints. Alors, tu comprends qu'une madame chromée qui se paie l'avion, le pilote, la voiture, le chauffeur attire les sangsues plus qu'une assistée sociale. C'est sûr que si le gouvernement canadien jette les hauts cris, ça peut changer les choses. Jusqu'à maintenant, on n'a pas allumé le feu sous la marmite. »

Lemay, un sourire glissant sur ses maxillaires, confirmait l'énoncé sans le confirmer tout en le confirmant...

« Est-ce que les confidences valent plus cher dans le cas d'un meurtre? demanda Pharand.

— Je ne penserais pas, répondit Lemay. C'est le silence qui vaut le plus cher. Iguaçu, c'est de l'argent pour les trois pays proches des chutes. Les touristes font vivre le coin. Une culbute dans un pays aussi accidenté, ça ne déclenche pas les cauchemars. Ça ajoute du piquant et c'est tout. Un assassinat, c'est autre chose : ça chasse les touristes. Si la police peut faire croire à un accident, tout le monde se calme et le tourisme continue.

— On maquillerait un meurtre? insista Pharand.

— Je ne sais pas, fit Lemay dont les mains reculaient comme devant un métal rougi au feu. D'après moi, s'ils ont un meurtre sur les bras, ça se peut qu'ils ferment l'enquête au plus sacrant en parlant d'accident, puis qu'ils déboulent comme un camion de briques sur le meurtrier une fois la poussière retombée. Ils ont alors double profit : le tourisme roule et le meurtrier doit acheter sa liberté.

— En gros, fit Pharand, on a deux faits : Gisèle Gendron a été retrouvée morte et on a son corps. Le reste, c'est flou. »

Un silence se fit. Pharand perçut le malaise de Lemay. Étrange de voir à quel point ce costaud d'une trentaine d'années laissait lire ses sentiments. Il l'imagina rigide dans la boîte des témoins et subissant les attaques d'un avocat vicieux. L'image fit lever une ultime question.

« Comment votre policier argentin explique-t-il que l'avocat de madame Gendron ait eu la primeur?

— J'allais vous en parler. »

Marceau avait visiblement déjà eu droit à la confidence.

« Je pense que c'est lui qui a appelé l'avocat.

— Il vous l'a dit?

— Je pense que oui. »

Puis, il plongea.

« Je comprends l'espagnol, mais pas le guarani. »

Pharand faillit éclater de rire. La conversation avait mis en scène deux enquêteurs martyrisant tous deux une langue seconde! Quand Lemay l'interrogeait dans un espagnol de peinture fraîche, l'autre mariait guarani et espagnol.

« J'en ai manqué des bouts. J'ai compris ceci : la police qui a le corps a trouvé des renseignements dans les papiers de madame Gendron et a communiqué avec son avocat.

— Moi, je pense que Réjean a mis le doigt dessus! Vois-tu la magouille, mon André? Nous autres, on se ronge les ongles avec plein de scrupules. On ne voudrait pas brusquer nos collègues sud-américains et on leur demande gentiment si le thermomètre est de bonne humeur chez eux. De son côté, le flic de là-bas refile l'information au *bavard* qui peut lui dire ce que pèse la morte! Pas beau, ça? »

Lemay, un peu ragaillardi par le soutien de Marceau, s'avança dans les explications.

« Je suis certain qu'il connaissait le nom de l'avocat. Letarte. Il l'a prononcé à l'espagnole, avec des accents partout, mais il l'a prononcé. Cela m'a surpris, mais je suis certain du nom. Il a ensuite ajouté quelque chose en guarani. J'avais l'impression qu'il s'adressait en même temps à des collègues et j'étais perdu. Je ne sais même pas pourquoi il est passé au guarani. Le guarani est plus courant au Paraguay que l'espagnol, mais je m'attendais pas à ce que des policiers argentins parlent guarani entre eux. C'est vrai que l'Argentine fait visiter les anciennes constructions guaranies. Est-ce qu'ils font ça pour éviter que leurs conversations soient interceptées, je ne le sais pas.

– Ne vous faites pas de reproches, conclut chaleureusement Pharand. Vous nous avez dépanné en cinquième vitesse. Sans vous, on pataugeait. J'admire les gens qui ne laissent pas une enquête prendre la mauvaise direction. »

La mince pellicule de vilaine sueur qui témoignait de la tension de Lemay s'était évaporée par magie. Ne demeurait qu'une gêne qui reculait devant la fierté.

« Espérons, dit-il en tendant la main, que vous serez encore là si nous frappons un mur. »

Marceau, le regardant s'éloigner, se pencha vers Pharand :

« Regarde, il marche à un pied au-dessus du plancher et des ailes lui poussent dans le dos! Le célèbre Pharand l'a félicité! Un autre dans ton fan-club! »

Sur un autre ton, il ajouta :

« Il va voir avec sa blonde s'ils ne peuvent pas nous trouver quelqu'un capable de comprendre le guarani. Lui n'est pas capable de lire les courriels écrits en guarani.

– Carlotta écrit-elle en guarani?

– La plupart du temps, même si le clavier proteste. Tu devrais voir le nombre de lettres de l'alphabet guarani! »

L'intrusion du guarani dans leur enquête modifiait l'attitude de Marceau. Il voyait enfin les risques résultant d'une barrière linguistique. Au moins une partie des faits leur échapperait tant qu'ils n'auraient pas accès à l'information circulant en guarani. Cela affectait leurs relations avec la police de là-bas, mais aussi leurs rapports avec Carlotta : ils n'étaient pas en mesure, ni en espagnol et encore moins en guarani, d'évaluer ses gestes et ses messages. Ce qui se révélait au sujet des raccourcis chers à certains policiers ajoutait à l'inquiétude. Carlotta était forcément au courant de ces mœurs. Elle s'était bornée à les féliciter d'être des « policiers différents ». Marceau admit qu'ils avaient besoin d'un intermédiaire familier avec le guarani et sans intérêt personnel dans l'enquête. Marceau tombait également d'accord avec

Pharand et le prudent procureur pour présenter la perquisition chez Carlotta comme une façon de les mettre tous à l'abri des accusations. Pharand réservait pour la fin un aspect désagréable de l'affaire :

« Tu lui expliques les choses trois secondes à peine avant la perquisition. Qu'elle puisse jurer qu'elle ne savait rien d'avance et que nous puissions jurer la même chose. »

La mine de Marceau ne s'assombrit qu'un instant.

« De mon côté, conclut Pharand, je prépare le terrain chez le notaire et à la caisse populaire. Si ça devient compliqué, je mets tout ça au congélateur et je fonce chez le fils Gendron. On l'a un peu négligé, celui-là. »

Chapitre 17

Le fils Gendron ne leur servit pas les trémolos du chagrin. Il avait déjà assez de mal à se réconcilier avec la clarté du jour sans se répandre en sanglots artificiels.

« Faites vite, fut son mot de bienvenue. Je prends l'avion tout à l'heure et j'ai des choses à régler. »

Peut-être sa trentaine lui permettait-elle de faire illusion en fin de journée, mais au saut du lit il présentait l'image type du GO dégénéré dont ne se vantent pas les Clubs Med. Teint cireux, valises noirâtres sous des yeux de lapin, une haleine moins amicale qu'un lance-flammes. En prime, l'arrogance du repu. Pharand aimait crever ces suffisances.

« Que faites-vous à propos de votre sœur?

– Je verrai.

– Verrez-vous cela à partir d'ici ou à partir de là-bas?

– Je me rends là-bas et je verrai.

– Où serez-vous?

– En quoi ça vous regarde?

– Ça me regarde tellement, monsieur Gendron, que j'exige des réponses moins poreuses. Où serez-vous et pendant combien de temps? »

Le fanfaron toisa le policier.

« Arrangez ça avec mon avocat. Je n'ai pas de comptes à vous rendre.

— Je n'ai pas l'habitude d'arranger quoi que ce soit ni avec un avocat ni avec un témoin important. Si vous m'obligez à vous arrêter, vous aurez le droit d'alerter votre avocat, mais il n'y aura pas de voyage. Alors, branchez-vous.

— C'est Pharand votre nom, vous? Attendez-moi dans le corridor. J'appelle mon avocat et on verra si vous continuez à me harceler et à défendre la petite bronzée. »

Pharand reconnaissait la classe Letarte. Les insinuations ne changeaient ni de termes ni d'inspiration: harcèlement, préjugé favorable à l'ancienne responsable de la fondation, penchant pour l'intimidation...

« Non, monsieur. Il n'y aura pas de porte fermée entre vous et moi. Éloignez-vous si vous voulez, mais je tiens à vous voir. Ne touchez pas à votre répondeur. »

Pharand n'eut pas à attendre. Gendron avait joint Letarte.

« Il veut vous parler. »

Pharand saisit le portable que lui tendait Gendron. Mécaniquement, il mémorisa le numéro.

« André Pharand.

— Pourquoi ce harcèlement, monsieur Pharand?

— Vous vous répétez, monsieur Letarte. Nous sommes tous pressés. Avez-vous donné un bon conseil à votre client ou venez-vous nous rejoindre à la centrale du Parc Victoria?

— De quoi l'accusez-vous?

— Vous le saurez quand il aura répondu à mes questions. S'il continue à se taire, je demande que son passeport soit bloqué et nous passons aux accusations.

— Même après la mort de sa sœur?

— Même après la mort de son père et de sa sœur, corrigea Pharand. L'enquête sur la mort de son père n'est pas terminée et j'ai besoin de tous mes témoins.

— Repassez-le-moi.»

Ce n'était pas encore l'amour fou, mais Gendron répondit. Il logerait près d'Iguaçu, du côté argentin. Il communiquerait l'adresse à son arrivée. Son séjour? Le temps de rapatrier le corps ou d'arranger sur place la cérémonie funéraire.

«Pas d'incinération brusquée, n'est-ce pas, monsieur Gendron? Une fois suffit.

— Je ferai ce que je juge bon.»

L'arrogance avait la vie dure, mais il brassait du vent.

«Vous avez fait vite pour les visas, les vaccins...»

Gendron répondit par le silence à ce qui n'était pas une question. Pharand n'insista pas. Il obtiendrait ailleurs les informations que celui-ci distillait à la goutte. Sans quitter des yeux un Gendron déjà moins inflationniste, il téléphona à Marceau. Ostensiblement.

«L'oiseau veut s'envoler dans les prochaines minutes. Je demeure sur place jusqu'à l'arrivée des techniciens. Viens les rejoindre. Avertis le concierge pour qu'il puisse répondre aux locataires et aux journalistes.

– Compris. Moi, j'ai trouvé la femme à trois langues. »

Marceau n'allait pas rater l'occasion d'une expression née à contre-courant du bon goût.

« Français, espagnol, guarani. Pour tes cours, tu peux prendre celle-là », conclut-il en coupant la communication.

Déjà l'équipe chargée de la perquisition envahissait l'appartement avec ses appareils. D'office, les techniciens avaient garé leur voiture à la porte de l'immeuble, sans égard aux rumeurs. Deux gaillards silencieux, des yeux et des oreilles tout le tour de la tête, le pifomètre en alerte rouge, on les sentait blindés contre l'intimidation et allergiques aux astuces bas de gamme. Pharand retourna à sa voiture. Il attendait beaucoup de cette perquisition. Si Gendron avait été prévenu ou simplement calme, le policier n'aurait rien parié sur les chances d'exhumer des éléments incriminants de son appartement. Tout aurait été confié à une déchiqueteuse ou à la garde de l'avocat, d'un notaire, d'un coffret bancaire. L'appartement aurait affiché la suave virginité d'une agate lavée par la mer, le sable et le vent. La perquisition aurait été vouée au vide et Pharand l'aurait annulée. Les dix secondes face au jeune écervelé avaient levé ces doutes. Le policier tenait maintenant le pari que Gendron avait laissé partout, y compris dans son appartement, les preuves de ses imprudences.

Une fois de plus, Pharand communiqua avec

le notaire. Sans doute avait-il gagné du galon auprès de la secrétaire, car elle prit sur elle, sans même s'éclipser une seconde, de lui fixer un rendez-vous. Oui, il pouvait venir. Un petit quart d'heure et maître Mantha le recevrait. Pharand sollicita un petit battement de cinq minutes :

« Je suis en route, mais les travaux peuvent me ralentir.

– J'habite la même ville que vous », fut la réaction.

Le dieu des automobilistes, malgré ses écrasantes responsabilités, seconda ses efforts. Le temps de saluer et de remercier la secrétaire et le notaire, que Pharand avait toujours vu derrière son lourd bureau, s'avança et lui tendit la main. Les rapports devenaient plus chaleureux et Pharand renonçait d'avance à la perquisition.

« Merci de me recevoir au pied levé.

– Je me suis formé une opinion, monsieur Pharand, répondit le notaire. Si vous êtes là, il s'agit d'une urgence. »

Le notaire avait refermé sur eux la porte capitonnée qui avait dû abriter bien des confidences. Signe du réchauffement des relations, le notaire invita le policier à s'asseoir à une petite table ronde et s'installa près de lui.

« D'abord une nouvelle qui commence à circuler. La fille de monsieur Gendron, Gisèle, est décédée hier. Elle s'était rendue en Amérique du Sud pour des motifs encore inconnus. La police locale ne livre que des renseignements sommaires. Nous ne savons pas s'il s'agit d'un accident. »

Un silence accueillit l'information. Robert Mantha l'encaissait.

« Nous avons deux décès. Ni l'un ni l'autre ne peut être encore considéré comme un assassinat.

– Cette fois, vous pouvez au moins obtenir une autopsie. Mais je m'avance sur votre terrain. Excusez-moi.

– Ne vous excusez pas. Au contraire, j'ai besoin de vous. Si je vous cite les deux seuls mots de latin que je connais, vous verrez pourquoi je fais appel à vous. *Cui prodest?* »

Le notaire sourit et traduisit sans effort :

« *À qui profite le crime?* C'est, en effet, une question parfaitement légale et qu'on retrouve, vous le savez mieux que moi, dans beaucoup d'enquêtes policières. Rares sont les crimes dont personne ne tire avantage! D'accord, poursuivit-il, je vois où vous voulez en venir. Mais, je vous l'ai dit, je n'ai plus de responsabilité auprès de la fondation Gendron ou auprès des descendants. Seul l'avocat du liquidateur pourrait vous renseigner. »

Le notaire, Pharand le sentait, ne tentait pas de se défiler. Soumis aux faits, il estimait rompu son lien avec la famille Gendron et s'éloignait d'une démarche hors de sa portée.

« Vos minutes de notaire sont toujours entre vos mains?

– En effet. Il est de mon devoir de conserver dans mon plumitif les références à ces actes.

– Références assez détaillées?...

– Comme vous dites, monsieur Pharand, dit le notaire avec un sourire de dégustateur. Assez détaillées, surtout quand il y a risque de contestation et de retour en arrière.

– Assez détaillées pour fournir le calendrier des versements effectués par monsieur Gendron à sa fondation?

– Oui et non. Une nuance est importante. Je vous ai donné une idée des montants consacrés à sa fondation par monsieur Gendron de son vivant. Ces montants-là, il me les faisait connaître pour que je puisse, si nécessaire, ajuster l'inventaire annexé au testament. Ce sont des montants globaux, sans détails. Telle année, un million. Ou un million et demi. Vous voyez le genre.»

Le regard de Pharand avait eu une lueur amusée. Le notaire ne s'y trompa pas.

«Je suis de l'ancienne école. Pour nous, il n'y a pas de dépenses ni même d'investissements; pour nous, un montant est *consacré* à une fin. Même les hommes politiques d'autrefois pratiquaient ce vocabulaire pudique.

– Duplessis, par exemple.

– Justement. Donc, enchaîna-t-il, je connais les montants globaux *consacrés* ou destinés à la fondation. En ce qui concerne la ventilation et la sortie des fonds, mes actes sont muets. C'est l'établissement bancaire qui sait si le million que je déduis de l'actif et, éventuellement, de l'héritage a été remis d'un coup à la fondation ou morcelé en tranches de cent mille dollars ou plus pour divers chantiers.

– Quand vous avez référé aux dates, pensiez-vous à cette nuance?

– Oui et non. Pour être franc, je m'intéressais à ce moment-là au testament, uniquement au testament. Si le tribunal a prononcé le jugement d'inaptitude avant que monsieur Gendron signe la dernière version de son testament, il se peut que le testament soit révoqué. C'est à cela que je pensais. Mais vous, quand vous cherchez *à qui profite le crime*, quelles dates vous intéressent?

– Je vous soumets, pour ce qu'elle vaut, une hypothèse. Disons que monsieur Gendron *consacre* un million ou un million et demi à sa fondation. Il verse le montant au compte de la fondation. L'argent ressort de ce compte d'un coup ou en plusieurs tranches. Jusque-là, est-ce que ça va?»

Simple acquiescement de l'homme de loi. Parler aurait érodé sa concentration.

«Si les millions versés à la fondation ressortent par tranches, vous n'en saurez rien, n'est-ce pas?»

Toujours le même silence, mais un regard avivé par la montée d'une intuition.

«Et personne ne le saura à moins d'avoir accès à la comptabilité de la fondation. Si la directrice de la fondation a tous les pouvoirs, elle n'est même pas obligée d'inscrire les modalités de paiement dans les procès-verbaux de la fondation. Elle pourrait remettre des chèques postdatés à l'établissement bancaire où le compte est ouvert ou les présenter quand elle le désire.»

Même acquiescement silencieux qu'un sphynx n'aurait pas désapprouvé.

«Dans l'hypothèse où la banque ou la caisse populaire a reçu de la fondation l'ordre de transférer à telle date un quart de million à tel compte de la fondation au Paraguay ou en Argentine, elle va agir selon les instructions, n'est-ce pas? Vous me voyez venir?

– De mieux en mieux, monsieur Pharand. Dans votre hypothèse, une caisse populaire ou une succursale bancaire ne se pose aucune question en exécutant aujourd'hui un ordre de paiement émis il y a quelque temps par monsieur Gendron lui-même, par les anciens administrateurs de la fondation ou par la directrice. Si les nouveaux gestionnaires ne sont pas au courant des instructions données ni des chèques postdatés, les paiements décidés il y a trois mois ou six mois peuvent suivre leur cours. Ce n'est pas le plus probable, mais c'est possible. »

Pharand poursuivit :

« Si les enfants Gendron découvrent tout à coup l'existence d'ordres de transfert qui arrivent à la date d'exécution, ils s'affoleront en se voyant au pied d'une échéance. Pire encore, ils peuvent constater qu'un quart de million a été exporté hier ou avant-hier conformément à des instructions qu'ils n'avaient pas annulées.

– Et le voyage précipité de madame Gendron s'expliquerait, conclut le notaire en souriant. À mon tour de vous demander si c'est à peu près cela votre hypothèse.

– Exactement. Et peut-être ont-ils pensé, puisque l'argent était déjà en route ou rendu à destination, que la meilleure riposte était une visite en catastrophe, précisa Pharand. Comment pensaient-ils s'y prendre une fois sur les lieux, je n'en ai pas encore une idée.

– Le point faible de votre hypothèse, soit dit en toute déférence, c'est votre présupposé: vous présumez que les nouveaux responsables de la fondation n'auraient pas ordonné à la caisse ou à la banque d'ignorer toutes les directives de l'ancienne administration. Cela ne ressemble pas à l'image que je me suis formée en recevant la missive de leur avocat. Disons que les nuances faisaient quelque peu défaut... Mais vous avez peut-être raison. L'avocat me signifiait que je n'avais plus de mandat pour les décisions futures, mais il ne disait rien des décisions antérieures.»

Les mains du notaire reprirent leur prière. Les coudes ancrés à la table, les doigts joints sous la lèvre inférieure, il fit le point en regardant Pharand dans les yeux.

«Je vais vous donner la date que porte le testament de monsieur Gendron dans mes actes. Je vais vous fournir les dates prévues pour le transfert de fonds à la fondation. Les montants sont globaux et le calcul de l'héritage en avait déjà tenu compte. La ventilation des transferts, c'est ailleurs que vous pourrez peut-être l'obtenir.»

Il conclut en posant ses mains à plat sur le bureau:

«Nous aurions beau fouiller, nous n'aurions rien de plus à vous révéler.»

Un peu plus et Pharand se déculpabilisait en déchirant devant le notaire le mandat auquel il avait songé.

« Merci de votre collaboration. Elle me permet d'avancer dans notre enquête. Il se peut que je fasse encore appel à votre rigueur. »

Le policier quitta les lieux en saluant la secrétaire. Il remercia silencieusement le prudent procureur de lui avoir évité une faute de goût. À quoi aurait-elle servi?

Chapitre 18

Tâche nécessaire, mais répugnante. Marceau, mal à l'aise, s'y était préparé en puisant à pleines mains dans le répertoire des sophismes gentils. Stratégie contraire à ses instincts comme à ses habitudes. Il s'y était résigné pour maquiller la perquisition chez Carlotta en procédure anodine et même en mesure de protection. Sa tête lui rappelait que Pharand avait raison, ses tripes affirmaient le contraire. D'un coup de fil, il avait vérifié que la jeune femme était chez elle et il s'était garé dans la rue Scott, le frein à main tiré à la limite comme pour nier la loi de la pesanteur et quelques autres contraintes. Il était le seul acteur du premier acte. Les deux collègues chargés de la fouille l'avaient précédé dans une voiture banalisée. Ils lui avaient signifié d'un pouce levé qu'ils attendaient son signal. Avait-il réussi à leurrer Carlotta? Il ne l'aurait pas juré. Elle l'avait écouté en silence, quelque chose d'effarouché et de pitoyable dans la voix, redoutant visiblement de perdre le seul humain dont elle avait espéré le soutien depuis la mort d'Aimé Gendron. Elle n'émit une réserve qu'à propos de son ordinateur. Le perdre, ne serait-ce que pour un jour ou deux, la coupait de ses contacts. Il symbolisait sa seule défense contre l'isolement. Marceau se réjouit de pouvoir la détromper.

« Non, non, il ne sort pas d'ici. Notre technicien va copier le disque dur, c'est tout. La minute après notre départ, vous retournez sur Internet et vous communiquez avec qui vous voulez. Même chose pour les documents comptables et les papiers de la fondation. On les photographie et on s'en va. Vous pouvez surveiller tout ça, vous ne verrez pas la différence entre avant et après », conclut-il avec un sourire qui demandait pardon et réconciliation.

Elle ne répondit pas, enlisant Marceau dans son malaise. Il dégaina son téléphone et demanda silencieusement la permission de s'en servir. Elle ne se méprit pas sur le but de l'appel; résignée, tendue, inquiète, elle détourna la tête, peut-être pour mieux nier la montée des larmes. Lui n'eut qu'un mot à prononcer. Pendant les instants qui suivirent, la jeune femme et le policier subirent le même silence, hésitant entre rescaper quelque chose de leur ancienne empathie et en sonner le glas. Marceau, le regard vagabond et honteux, s'imprégnait du décor et presque de la vie de Carlotta. Deux pièces et demie dont une partie échappait encore à l'œil du policier, mobilier minimaliste, quelques agrandissements de paysages et de monuments sud-américains sur les murs, un réfrigérateur trapu et bruyant, un appareil radio bon marché, une cuisinière au gaz et à deux ronds, trois rayons de bibliothèque appuyant les classiques planches sur les classiques briques... De l'ordinateur principalement visé par leur intrusion, Marceau ne voyait pas la trace.

« Je travaille surtout dans ma chambre, dit-elle enfin. L'isolation des murs est meilleure. Vous pouvez regarder. »

Y régnait la même frugalité que dans la cuisine confondue avec le salon. Le lit, lumineux dans cette grisaille, osait les couleurs rayonnantes d'une jetée gorgée de soleil. Dans l'angle du fond, une douche fermée par un rideau de plastique. Contre le mur, coincée entre une armoire au contre-plaqué gondolant et deux valises de voyage, une petite table supportait vaillamment un ordinateur de bonne race. À peu près pas de papiers. Une fois encore, elle devança la question qui venait aux lèvres du policier :

« Je conserve tout dans l'ordinateur. Je n'ai pas beaucoup d'espace, mais j'ai des sauvegardes. »

Les techniciens arrivaient. Ils saluèrent poliment leur hôtesse involontaire, évaluèrent d'un œil averti l'ampleur du travail et se mirent silencieusement au travail. Carlotta redevenait Carlotta Alvarez, témoin parmi d'autres aux yeux de l'enquête sur la mort d'Aimé Gendron. Un coup de froid avait frappé la relation entre la jeune femme et le policier. Quelque chose y avait peut-être survécu, car elle se désintéressa du travail des techniciens. Elle demeura dans la cuisine, s'assit et indiqua à Marceau qu'il pouvait en faire autant. Signe qu'elle ne redoutait pas un piège? Ou qu'elle se savait impuissante à changer le cours des choses? Le policier n'avait d'autre choix que de déposer son traditionnel calepin sur la table et d'alimenter en questions leur embarrassant face-à-face.

« Avez-vous toujours l'intention de vous rendre chez vous?

– Oui, mais je ne sais pas si ce sera pour ne plus revenir. »

Elle lut encore une fois dans les pensées de Marceau :

« Si vous jugez nécessaire que je revienne, je reviendrai, mais je n'ai plus d'emploi ni de revenus. Rien pour vivre, rien pour voyager.

– Je regarde votre appartement, Carlotta. Monsieur Gendron ne devait pas vous verser un gros salaire...

– Vous vous trompez, il me payait très bien. »

Elle se redressait et corrigeait une perception. Quelles étaient donc ses relations avec le philanthrope?

« Je n'avais pas besoin de tout ce que monsieur Gendron me donnait. J'aurais eu honte de vivre richement pendant que mes amis n'ont pas à manger. Il le savait. Il me disait de faire ce que je voulais de mon salaire. "Tant pis si vous êtes trop généreuse avec vos amis. Je n'augmenterai pas votre salaire à cause de vos cadeaux!" Ce fut la même chose pour l'ordinateur. Il tenait à un appareil puissant, mais il m'a permis d'acheter un ordinateur moins cher et d'envoyer la différence au Paraguay.

– C'est pour cela que les enfants de monsieur Gendron n'ont pas ramassé l'ordinateur avec le reste? C'est à vous!

— Pas seulement l'ordinateur. Les projets aussi, c'est à nous.

— Monsieur Gendron était-il jaloux? »

Quelque chose de rugueux et de coléreux alourdit le regard déjà sombre. La question était si inattendue et déplacée qu'elle hésita à y réagir. Marceau n'aurait pu dire d'où elle avait surgi.

« Vous ne l'avez pas connu, dit-elle froidement.

— Connaissait-il vos partenaires? »

Consciemment ou pas, il avait usé d'un terme équivoque. Elle choisit l'acception la plus neutre.

« La deuxième fois qu'il est venu à Posadas, nous avons traversé le fleuve et je lui ai présenté deux ou trois de mes amis guaranis. Il a multiplié les questions, mais gentiment. Je servais d'interprète. Il écoutait bien. Quand il m'a engagée, il se rappelait tous les projets que mes amis avaient discutés avec lui. Il me faisait confiance, mais il demandait souvent si les projets avaient toujours, comment dire?, la même animation, la même animatrice.

— Est-ce que vos amis auraient aimé venir ici, eux aussi? »

Elle ignora les possibles sous-entendus de la question.

« C'est certain. Il y en a seulement un qui est déjà venu à Montréal, mais tous mes amis savent que la vie est plus facile ici. J'avais demandé à monsieur Gendron s'il accepterait qu'une autre ou un autre ait son tour dans mon emploi. Il m'a répondu : "Avez-vous le mal du pays?" Je n'ai pas compris. Il m'a expliqué et j'ai dit : "Un peu. Pas tout le temps, mais parfois."

– Et lui, qu'a-t-il répondu?

– Il a dit: "On verra. Je suis content de vous, mais c'est bien de préparer les remplaçants. Je n'ai pas réussi cela." »

Les techniciens enfilaient les courroies de leur équipement. Ils demandèrent à la jeune femme et à Marceau de vérifier les lieux. Un quelconque objet avait-il été déplacé? Manquait-il quelque chose? Ils auraient cherché un prétexte pour reluquer plus longuement la belle Guaranie qu'ils n'auraient pas agi autrement. Marceau les laissa partir et se prépara au même repli.

« Je vais expliquer votre situation à mon collègue Pharand. Il ne vous empêchera pas de partir en voyage, mais il voudra sûrement savoir où vous êtes. Je vous demande pardon de mes indiscrétions, c'est le métier qui l'exige. »

Elle ne répondit pas, mais elle eut dans le regard un éclair dont Marceau voulut extraire une absolution.

« Il me semble, se dit Marceau en regagnant sa voiture, que Pharand aurait lui aussi demandé pardon. » De façon plus intime encore, il se confessa que son collègue aurait peut-être posé les questions autrement!

L'un des techniciens l'attendait sur un des étranges escaliers de la rue Scott.

« Ce n'est pas un gros bagage, fit-il. Ni dans le disque dur ni dans les documents. On fait la sauvegarde de ce qu'on a, puis on transfère le stock dans votre ordinateur ou celui de Pharand. Même chose pour les documents.

— Est-ce que c'est surtout en espagnol ou en guarani?

— Tchum, si tu penses qu'on a le temps de séparer les déclarations d'amour et les rapports d'impôt...

— Tu avais quand même l'air de la trouver pas laide, non?

— Si c'est elle que tu m'avais demandé de photographier, je serais encore là! Salut. Dis-nous au plus sacrant dans quel ordinateur on fait le transfert. »

Chapitre 19

Malgré la sérénité du précédent contact, Pharand entreprit sans enthousiasme sa nouvelle incursion à la Caisse populaire de Sillery. En peu de minutes, le policier eut pourtant l'impression que sa visite, à défaut de propager l'allégresse, calmait les esprits. La situation ressemblait, en effet, à celle que lui et le notaire avaient imaginée. Sans pudeur aucune, les enfants Gendron avaient claironné le verdict judiciaire privant leur père de son autonomie; à l'établissement financier d'y donner suite sans mot dire et de transférer illico le compte du sénile Aimé Gendron. Cela, Pharand n'avait nul besoin qu'on le lui rappelle. Les piranhas et leur avocat lui étaient familiers. La fondation l'intéressait davantage. Les héritiers n'avaient, semble-t-il, qu'une vague notion de ce qui s'y brassait.

« Ils n'ont ni fermé ni déplacé le compte de la fondation. Ils ne se sont pas informés non plus des instructions formulées par la fondation. Nous avons donc respecté le programme convenu. Il y a une quinzaine de jours, un montant a pris le chemin du Paraguay. Cela apparaît dans le relevé mensuel que reçoivent les administrateurs de la fondation. Ce fut une révélation pour eux. On nous a alors demandé s'il y avait d'autres ordres de paiement encore en vigueur. Il y en avait un. C'était, précisa-t-il en regardant le calendrier sur son bureau, c'est ça, jeudi dernier. Un montant a été transféré à la banque du Paraguay où la fondation a un compte. Le fils de monsieur Gendron a voulu bloquer ce paiement, mais il était trop tard. »

Que Pharand ait fait voir le mandat autorisant les questions avait rendu la voix au cadre si secret auparavant. « Au cas où », avait-il dit en le remettant dans sa poche.

« La signature était-elle celle d'Aimé Gendron?

– Non, celle de madame Alvarez. Les chèques qui alimentaient la fondation étaient signés par monsieur Gendron, mais ceux qui transféraient les fonds à l'étranger portaient seulement la signature de madame Alvarez. Telle était la volonté de monsieur Gendron. Il a utilisé le formulaire habituel des autorisations de signatures.

– Et alors, conclut Pharand avec un sourire, vous avez eu droit à un spectacle plutôt agité?

– Comme vous dites...

– La fondation va subir un lifting rapide!

– C'est en marche. Les directives du passé sont annulées.

– Est-ce que le compte est à sec?

– Je préférerais ne pas répondre. Cela concerne l'avenir.

– Une fois l'argent versé à la banque du Paraguay, vous n'avez plus de contrôle sur l'usage qu'on en fait?

— Aucun. Nous ne savons même pas quelles personnes peuvent puiser dans le compte du Paraguay.

— Je vous pose une question à laquelle vous n'êtes surtout pas obligé de répondre, déclara Pharand. Disons que je m'adresse à l'homme qui a peut-être déjà vécu des expériences analogues. Que pouvait obtenir madame Gendron en se rendant d'urgence en Amérique du Sud?

— Entre nous, monsieur Pharand, l'utilité de ce voyage ne saute pas aux yeux.»

La supputation le tentait et Pharand ne l'empêcherait pas d'y succomber.

«Sur place, elle peut peut-être obtenir des informations de la banque locale, savoir qui gère les fonds et signe les chèques. Comme la fondation va être maintenant suivie de près, le gestionnaire de là-bas peut avoir intérêt à écouter madame Gendron. Ce qui est fait ne changera pas, mais l'avenir de la fondation est peut-être négociable. Je connais votre réputation, monsieur Pharand; sinon, je n'aurais pas risqué une telle hypothèse.

— Comptez sur ma discrétion. Je retiens que les mœurs bancaires ne sont pas partout du même calibre.»

Une poignée de main et un sourire partagé. Le mandat de perquisition continua à somnoler dans la poche intérieure du veston...

De retour à sa voiture, garée dans le stationnement de la rue Maguire, Pharand communiqua avec la réceptionniste de la centrale de police. Aussi discrète qu'ingénieuse, Madeleine avait un faible pour les policiers conscients de la différence entre un meuble et une collaboratrice.

« Bonjour, Madeleine.

— Bonjour, monsieur Pharand. Monsieur Marceau vient d'appeler. Il sera ici dans à peu près une heure.

— Pourriez-vous me trouver le numéro de téléphone et l'adresse précise de Michel Granger? Il demeure quelque part dans la rue Moncton. »

Le temps d'un clic du stylo et les coordonnées affluaient.

« Merci. Auriez-vous la gentillesse de noter le numéro? Si Granger est chez lui, vous pourrez me rejoindre là en cas d'urgence.

— J'avertis monsieur Marceau dès qu'il arrive. »

Réponses et initiatives devançaient presque les requêtes.

« Bonjour, monsieur Granger. Ici, André Pharand, de la police de Québec. Vous ne vous rappelez pas de moi, mais je vous ai déjà rencontré avec mon épouse au visionnement d'un de vos films.

— Je n'ai pas de mérite à vous replacer, monsieur Pharand. J'ai suivi vos enquêtes de loin à maintes reprises. Lequel de mes crimes a retenu votre attention?

— J'attends vos aveux, répliqua Pharand avec la même désinvolture. Écoutez, j'aurais besoin d'un quart d'heure ou vingt minutes de votre temps.

— Urgent, j'imagine?

— Très.

— Alors, venez. Je mets le café en marche. Vous avez mon adresse? »

Granger habitait le corps heureux des gens sans âge. Les cheveux fournis gardaient suffisamment de blondeur pour que le blanc s'y loge incognito. Aucun surplus pondéral, comme aurait dit le jargon moderne. La dégaine de celui qu'un havresac attend dans le placard, prêt à renouer avec les explorations. Imberbe, la mâchoire carrée et pourtant débonnaire, les yeux alertes et accueillants. «Un humain comme je les aime», se dit le policier, en retrouvant inchangé et effervescent l'alerte cinéaste qui avait séduit et informé leur auditoire sept ou huit ans plus tôt. Quelques mots suffirent pour la mise à jour.

«J'ai besoin d'aide pour comprendre le Paraguay et les Guaranis. J'ai pensé à vous, car j'avais apprécié votre respect des cultures sud-américaines.

— Vous me ramenez à ce métier que j'ai tant aimé. Et que j'aime toujours, ajouta-t-il comme s'il se tenait prêt à y replonger. Cela va me rendre nostalgique pour plusieurs jours. L'idéal, fit-il en rigolant, ce serait que vous me donniez un petit budget: j'irais mener votre enquête et vous auriez en dix jours le rapport d'un témoin oculaire!»

Un haussement d'épaules disposa d'une demande qui n'en était pas vraiment une. D'ailleurs, Granger invitait déjà le policier à préciser ses attentes.

«Je ne sais pas ce qui vous tracasse, mais je vous explique ma trajectoire. À vous de juger si je suis suffisamment neutre dans mes opinions. J'ai quitté l'Office national du film après des années à patrouiller le monde. Paraît-il que mes films ne correspondaient plus à la sensibilité des patrons d'aujourd'hui. Je ne savais pas qu'ils en avaient une. Autre gros péché, mes tournages ne coûtaient pas assez cher pour faire sérieux. De ce temps-là, je collabore à l'enseignement du cinéma. Je vous écoute.»

La sympathie de Pharand se réchauffa encore: droit à l'essentiel, référence éloquente à l'éthique.

«Un homme d'affaires de Sillery a créé une fondation il y a à peu près deux ans pour aider les jeunes Guaranis à développer leur culture et leur langue. Il a même embauché une Guaranie pour recevoir et évaluer les projets. Des montants substantiels. Les enfants du monsieur n'ont pas apprécié. Ils ont obtenu la mise sous tutelle de leur père en le décrivant comme inapte à gérer ses biens. Non seulement ils paralysent la fondation, mais le philanthrope est décédé subitement dans les semaines qui ont suivi la mise sous tutelle. Il y a quelques jours, les enfants du monsieur se sont aperçus qu'ils avaient mal verrouillé les activités de la fondation et que de grosses sommes continuaient d'être transférées au Paraguay ou en Argentine. La fille du philanthrope a pris le premier avion pour l'Amérique du Sud. On a su hier qu'elle avait été retrouvée morte près d'Iguaçu. Je crois peu au hasard.

– Ouf! s'exclama Granger. Vous avez l'art d'éveiller la curiosité. Je vous sers un café. Ça me donnera une minute pour imaginer un scénario. C'est ma déformation!»

Un instant plus tard, il revenait vers son fauteuil. D'un coup de reins, il le souleva pour le rapprocher de celui où Pharand attendait, le calepin à la main. Avec la même énergie, il attira à lui un globe terrestre aux dimensions propres à rendre sympathique l'étude de la géographie.

« Nous en aurons besoin, fit-il. Par où souhaitez-vous commencer? Je sais que votre temps est limité. Allez-y.

— Choisir le Paraguay, est-ce une erreur?

— Si vous parlez des besoins, il y en a partout. Haïti, la Bolivie, les paysans sans terre au Brésil... Le Paraguay fait peu parler de lui, mais il mérite sûrement de l'aide. Surtout que les GI américains viennent d'y prendre pension.

— Les Guaranis sont-ils particulièrement mal pris? »

Granger, d'un coup du poignet, fit rouler le globe terrestre sur son axe incliné.

« Je vais au plus court. Rappelez-moi à l'ordre si je deviens trop verbeux. Voici le Paraguay. C'est un pays enclavé. Pas de débouché sur l'océan. Deux mastodontes comme voisins, l'Argentine et le Brésil, et un troisième pays contre lequel le Paraguay s'est battu. Une enclave. Par déformation, je demande à la géographie de m'expliquer l'histoire. »

Pharand se serait volontiers inscrit à un cours de géographie sous cette gouverne, mais le temps pressait.

« Je ne suis pas certain de comprendre la place ou l'importance des Guaranis dans cette géographie. Ou dans l'histoire... Sont-ils si importants?

– Oui, ils le sont et ils le seront encore plus s'il y a davantage de philanthropes comme le vôtre. Ces gens-là se sont fait coincer entre les envahisseurs espagnols et portugais. Les Espagnols ont été moins voraces, mais les Portugais ont donné la chasse à tous les indigènes qu'ils pouvaient vendre comme esclaves. Les Guaranis ont eu l'aide des Jésuites pendant un siècle et demi et ils ont pu se regrouper et pratiquer leur langue. Quand les Jésuites sont disparus, les Guaranis ont perdu leur dernier secours. Aujourd'hui, leur géographie est la même : les descendants des Portugais d'un côté au Brésil, les descendants des Espagnols de l'autre en Argentine. Leur défi dure encore.

– On m'a dit que le Paraguay reconnaissait leur langue.

– On a eu raison de vous le dire. Si les Guaranis doivent conserver leur culture et la développer, c'est au Paraguay qu'ils tiennent leur meilleure chance. Votre philanthrope a eu du flair ou il a eu de bons conseillers!

– Le Paraguay est-il un pays où on pratique la chasse aux philanthropes étrangers?

– Vous pensez à la corruption? »

Acquiescement silencieux.

« À la violence? »

Nouvel acquiescement.

Granger immobilisa le globe terrestre et pointa du doigt le site où se rencontrent les frontières de trois pays.

« Iguaçu, ce n'est pas seulement une formidable attraction naturelle, c'est aussi un paradis de magouilles. Le Paraguay n'est pas l'acteur le plus important dans la corruption qui ronge ce triangle, mais sa géographie l'implique. Un pays enclavé comme lui est forcément traversé par tous les trafics imaginables. Il n'a aucun port pour s'approvisionner librement, alors il dépend des intermédiaires. Je vous donne un chiffre que vous pourrez confirmer sur Internet : il en est drôle tellement il cogne. Au Paraguay, il y a 12 aéroports dont la piste est pavée et 868 aéroports où la piste n'est pas pavée. *Huit cent soixante-huit aéroports*! Tout y circule, on y blanchit n'importe quoi. Et je dirais, sans vouloir vous offenser, que les différents corps de police ne sont pas au-dessus de tout soupçon... Les Guaranis devraient s'éloigner de ce territoire.

– Pour choisir des Guaranis honnêtes, il faudrait une boule de cristal aussi grosse que votre globe terrestre!

– Je ne suis pas policier et je ne voudrais pas me porter garant d'un continent, d'un pays ou d'un peuple au complet. Je peux vous dire ceci : les minorités que j'ai fréquentées, quechua, aymara, tupi-guaranie... ont souvent un code moral plus exigeant, plus prévisible si vous préférez, que les milieux plus cosmopolites.

– Qui va me donner une information fiable sur la mort de madame Gendron?

– Moi, si vous m'envoyez là-bas! reprit Granger en riant. Plus sérieusement, je ne sais pas. Les réseaux sociaux, linguistiques, culturels sont extrêmement importants. On dirait ici "tricotés serré". Si les Guaranis ont pris en affection votre philanthrope et s'ils considèrent sa fille comme leur bourreau, vous pourriez faire appel à leur solidarité pour clarifier la situation. Cela ne veut pas dire qu'ils vont adopter le même point de vue que vous. S'ils estiment que cette dame a eu ce qu'elle méritait, ils peuvent simplement décider que tout a été dit.

— Pourraient-ils donner eux-mêmes un coup de pouce à la justice ou exercer la leur?

— Un peuple dont on retarde la marche vers la liberté et la dignité peut se former une conception assez radicale de la justice. Je ne sais pas.»

Chapitre 20

Autant Marceau s'était évertué à simplifier la perquisition chez Carlotta, autant il prit un trouble plaisir à étirer celle qu'il avait à surveiller ensuite chez le fils Gendron. Celui-ci était fébrile. Le décès de sa sœur ne semblait pas lui causer un chagrin sans fond, mais il crachait le feu à l'idée qu'on lui fasse rater son vol vers Asunción. Alors qu'il comptait sur son avocat pour le soustraire à ce qu'il qualifiait de harcèlement policier, une certaine résignation lui entrait graduellement dans le métabolisme : le mandat de perquisition lui laissait les ressources d'un chaton aveugle. Les objectifs de la perquisition composaient, en effet, une liste aux ingénieux pseudopodes. Comme l'époque l'exige, les allusions aux technologies de l'information scintillaient, du disque dur au répondeur en passant par l'agenda électronique. Le prudent procureur n'avait pas lésiné! Marceau passait du cocon presque monastique de Carlotta au fouillis débilitant d'un antipathique playboy. Il y trouvait une compensation!

À l'entrée en scène des spécialistes, sous l'œil de Pharand, le photographe de la police avait présenté à son appareil rapide les documents que

Gendron apportait en voyage: passeport, billets d'avion, cartes de crédit, chéquier, agenda, aide-mémoire électronique d'adresses et de liaisons Internet... Les coups de glotte du bébé gâté ne créaient même pas un pli d'impatience sur le visage du technicien. Tout baignait et Pharand quitta les lieux en ignorant Gendron. Quand Marceau se présenta quelques minutes plus tard, un technicien le mit à jour en monosyllabes. La valise de voyage fit l'objet d'une fouille plus paranoïaque que celle d'un douanier républicain antiterroriste et les documents qui s'y logeaient aboutirent, eux aussi, dans la mémoire photographique, y compris les chemises colorées arborant des noms exotiques et glorifiant peut-être des projets d'investissement. Le voyage n'était pas motivé par le seul chagrin! Un des techniciens, sans doute un adepte du style Marceau, décida de provoquer Gendron.

«Est-ce que vous laissez ça ici? lui demanda-t-il en exhibant entre le pouce et l'index un petit sac de plastique au contenu bien explicite.

— Laissez ça là! cria Gendron.

— Mais non, répliqua Marceau, on l'apporte. Ça fait partie de ce qu'on cherche. Photo!»

Sur le pupitre envahi par une folle paperasse s'étalaient pêle-mêle factures de téléphone, relevés de cartes de crédit, cartons d'invitation... Pendant qu'un technicien confessait le disque dur de l'ordinateur haut de gamme et sollicitait même ses amnésies, l'appareil photo de l'autre multipliait les interventions. L'opération se terminait quand l'avocat Letarte, le faciès arborant les traces d'un repas en partie liquide, se joignit à la scène. Il lut avec une impatience bouillonnante le mandat de perquisition. S'il le jugea inflationniste, il ne déclencha pourtant pas le feu d'artifice qu'aurait souhaité son client. Sans doute avait-il déjà vécu quelques déconvenues dans ses affrontements avec le prudent procureur. Marceau en eut confirmation quand Letarte assortit d'un juron son commentaire frustré sur «le damné Philippon!» Il y avait si longtemps que Marceau et Pharand parlaient du *prudent procureur* qu'ils avaient presque oublié son nom... Le fils Gendron profita de l'arrivée de l'avocat Letarte pour saisir sa valise et son porte-documents et s'enfuir. Dans le corridor, le va-et-vient avait évidemment suscité, en plus du voyeurisme du concierge, les curiosités qui n'épargnent pas plus les cénacles de type Mérici que les bâtisses moins cossues. Marceau n'avait pas signalé sa venue au son des trompettes, mais il n'avait pas non plus recouru aux sourdines. À son retour de voyage, Gendron junior devrait des explications à ses voisins!

Pour l'heure, les techniciens n'avaient plus qu'à jeter un coup d'œil rapide mais aigu sur les pièces secondaires. Marceau n'attendait pas grand-chose de cette dernière touche. Que Gendron n'ait même pas refermé son lit et que sa salle de bain porte les traces de visiteuses parfumées, il s'en moquait. Il requit quand même du photographe une série de clichés sur les produits qui encombraient la petite armoire au-dessus du lavabo. «Du travail supplémentaire pour notre technicienne!» Même relevé à propos de l'anémique bibliothèque et du stock plus significatif de DVD aux titres agressants. «L'avantage de ces appartements modernes, c'est qu'on n'a pas à vérifier les lattes du plancher ou les fentes dans les murs!»

«Vous voyez, monsieur Letarte, dit Marceau qui, à l'école de Pharand, dépouillait les snobs de leurs titres ronflants, ce n'est pas plus compliqué que ça.»

Ils laissèrent passer les deux spécialistes en route vers le petit ascenseur. Pendant que l'avocat, auquel Gendron junior avait remis un jeu de clés, verrouillait la porte, Marceau lança une dernière flèche:

«Il reste à vérifier le traité d'extradition entre le Canada et l'Argentine...»

Si Letarte décida de répliquer, Marceau n'en sut rien. La porte de l'ascenseur s'était refermée sur lui. Il n'aurait pas parié un huard sur l'utilité d'un tel traité; il espérait seulement avoir inquiété Letarte.

Chapitre 21

Rentrant au bureau peu après Marceau, Pharand lui fit le signe conventionnel des demandes de pauses : les doigts tendus d'une main piquant la paume raidie de l'autre. Il avait besoin de quelques minutes pour compléter sa liste des questions en suspens. Visas ou vaccins nécessaires avant un voyage au Paraguay ou en Argentine? Rendez-vous pris par Gisèle Gendron pour les vaccins? Réservations sur quels vols au nom de Gisèle Gendron? Nouvelles des Affaires étrangères? Mise à jour avec la police de Posadas?

« Cinq minutes, dit-il en s'asseyant et en agitant son calepin.

– Je fais la même chose, déclara Marceau en jetant un regard sur le chantier de son collègue. Je n'ai pas ton âge, mais j'en oublie, moi aussi. »

Il négligea aussitôt d'accorder le délai demandé. La contemplation silencieuse, ce n'était pas son sport préféré. Pas forcément la frénésie, mais le mouvement.

« Quand on saura quels bouts de ficelles il faut attacher, ajouta-t-il, tu me diras par quoi et par qui on commence. Avant, on savait à la fin de la perquisition si on avait quelque chose; à présent, il faut attendre les photos et les icônes. Dès que j'aurai les miennes, je me plonge là-dedans. J'ai l'impression que ça va être suave! J'ai demandé à la fille à trois langues de venir nous lire le disque dur de Carlotta. Les photographies de la comptabilité et les minutes de la fondation, on les aura aujourd'hui et il n'y en a pas des tonnes. Dans le cas du fils Gendron, ça promet! On a même ramassé un beau petit paquet de neige! Au cas où la preuve du plus grave se ferait attendre.»

Beau désordre. C'était reparti et Pharand avait cédé sous la tornade. Le calepin attendrait.

«Quand tu es arrivé, fit-il, Gendron était-il encore bleu?»

Marceau avait déjà commencé à raconter.

«Tu parles! Il a rappelé son avocat pour qu'il surveille la perquisition à sa place. L'autre a pris le temps de finir son pousse-café. Le plus drôle, c'est quand on a commencé à copier les messages du répondeur. Gendron a blêmi. Les affaires de fesses, ça ne m'apprend rien, mais tu aurais juré que ce mec-là voulait s'acheter une chaîne d'hôtels en Argentine. Deux cent mille ici, 500 000 là... Les cendres du père Gendron ont dû tourner dans l'urne en entendant le fils lancer l'argent dans toutes les directions. J'ai hâte que tu écoutes ça. As-tu ramassé pas mal de stock, toi aussi? Est-ce qu'on se déguise en courants d'air pour trois quatre heures?»

Depuis son arrivée, Pharand avait redouté ce moment. Sa demande de pause visait peut-être à le retarder. Il déposa sur son bureau les mandats qu'il extrayait de la poche intérieure de son veston.

«Un pour le notaire, un pour la caisse populaire...

– Ils n'ont pas gardé les mandats que tu leur remettais?

– Pire que ça, mon Jean-Jacques. Je ne m'en suis pas servi. J'en ai montré un et je n'ai pas montré les autres.

– Minute, André, tu n'es pas drôle. On se partage les trucs dégueulasses. Tu prends ta part et je prends la mienne. Puis, monsieur décide que, lui, il ne veut pas se salir.»

Marceau fulminait. Rien à faire, comme l'expérience l'avait enseigné à Pharand, tant que le volcan ne serait pas au bout de sa lave.

«J'aurais dû te laisser présenter ton damné mandat à Carlotta. Cette enfant-là n'a plus rien, ni Gendron, ni emploi, ni argent. Elle compte sur nous et on lui dit en pleine face qu'on ne lui fait pas confiance et qu'on veut fouiller tous ses secrets. Les autres, on les croit. André, tu peux me sortir de ton fan-club après celle-là.»

L'abcès était lancé. Détente et reconstruction requerraient du temps. Et du doigté.

«Je ne suis pas fier, confessa Pharand. Ma stratégie était mauvaise et ce sont les autres qui paient, y compris toi.»

Le silence tomba, lourd comme un coup de massue. Marceau cueillit son calepin, se leva. La pause survenait, mais elle n'avait plus le même objet.

«Je vais faire ma petite liste, moi aussi, et étudier ce qu'on a copié et photographié. Ça va me donner le temps d'essayer de te comprendre.»

Le replâtrage fut accéléré par l'image qu'entretenait l'entourage au sujet d'un tandem réputé soudé. Quand la tension semble impossible, on ne perçoit pas celle qui surgit quand même. Quand les services techniques venaient déverser sur le pupitre de Marceau les piles de photographies et les courriels crachés par les imprimantes, les taquineries fusaient comme d'habitude au sujet des clivages entre générations. On jetait un regard goguenard sur le *vieux* Pharand incapable de naviguer sur Internet et on souhaitait à Marceau la patience héroïque pour compenser le déphasage technique des ancêtres. Cela s'inscrivait dans le climat usuel, et seuls les deux équipiers en percevaient la noire ironie. À force d'être ainsi traités en composantes d'une équipe harmonieuse, les deux hommes n'eurent d'autre choix que d'afficher les visages attendus. Quand approcha la fin de la journée, Pharand alla chercher deux cafés, les déposa sur le bureau de Marceau et demanda de renouer la conversation brisée.

« J'ai téléphoné à Carlotta. Elle sait que je suis responsable.

– Je lui avais dit que le métier exigeait ça. Ce n'était pas nécessaire que tu te mettes au blanc. »

Les deux hommes souhaitaient ressouder l'équipe.

« L'incinération de Gendron m'a mis en rogne, fit Pharand. À partir de là, j'ai voulu protéger le reste d'information.

– Sois honnête, tu as eu peur que je me laisse embobiner par Carlotta...

— Pas embobiner. Tu n'es pas une queue de veau ni un naïf. Mais que ta sympathie diminue ta méfiance. »

C'était l'équivalent, mais en termes acceptables. L'ange traditionnel prit sa pause au-dessus de leur escrime.

« Pourquoi as-tu eu peur de remettre les mandats de perquisition?

— Je n'ai pas eu peur. Je me suis aperçu, en retard, qu'ils étaient inutiles et même dangereux. Le prudent procureur a voulu me ralentir, mais il a réussi seulement à propos de Letarte : on ne pouvait pas perquisitionner chez l'avocat des enfants Gendron.

— Ça, tu me l'avais dit. Et je l'admets. Letarte nous aurait lancé le barreau dans la face.

— Chez le notaire, les bras me sont tombés. Le monsieur me parlait comme à son confesseur. Me vois-tu déclencher une perquisition dans un entrepôt de documents quand le seul dossier qui nous intéresse est ouvert devant moi?

— Et tu vas me dire la même chose au sujet de la caisse populaire?

— Pas tout à fait, mais presque. Je suis d'autant plus porté à croire mon informateur que les Gendron l'accusent d'avoir travaillé pour Carlotta et contre eux. Le monsieur ne la trouve pas drôle. L'insulter avec un mandat en aurait fait un témoin hostile. Je lui ai montré le mandat et il a lâché sa muselière. Le fils Gendron, c'est différent. Si on n'avait pas perquisitionné, il nous faisait encore le coup de l'incinération et les preuves disparaissaient.

— Autrement dit, André, tu perquisitionnes quand ça te tente et tu ne perquisitionnes pas quand ça ne te tente pas. Pourquoi ne pas me donner le même droit? Je n'aurais pas eu à démolir Carlotta.

— Je te répète que j'ai commis une erreur. Quand j'ai vu que la tribu Gendron voulait sa peau, je me suis dit: il faut qu'on puisse prouver qu'elle n'a rien détourné. Avec la perquisition, c'est possible de la défendre. J'ai testé notre procureur et il m'a laissé faire. Je ne me cache pas derrière lui, c'était ma demande. Mon intention, c'était ça. J'ai demandé pardon à Carlotta. J'en fais autant avec toi. »

L'émotion les avait gagnés tous deux. D'un même élan, au risque de renverser le café dont le niveau n'avait pas varié, ils se tendirent la main au-dessus du pupitre de Marceau.

Une fois rassis, ils eurent tous deux besoin d'un instant de silence. Puis, Pharand compléta son tour d'horizon.

« Pour me ramener au neutre, je suis allé rendre visite à un vieux pro qui a filmé l'Amérique du Sud sous toutes ses coutures. Michel Granger. Il a confirmé point par point ce que Carlotta a dit: la seule chance que les Guaranis ont de s'en tirer, c'est en se regroupant au Paraguay. D'après lui, Carlotta a raison et Aimé Gendron a bien fait de la croire.

— Arrête, André. Je t'ai compris. N'en donne pas plus que le client en demande. »

Encore hésitante et maladroite, la page se tournait. Pharand s'engouffra dans l'accalmie.

« Veux-tu que je commence à étudier la comptabilité de la fondation? Je connais ton amour pour les chiffres... J'ai reçu les documents qui concernent la fille Gendron et je vais comparer sa comptabilité avec celle de la fondation. Quand tu auras ton interprète, peux-tu vérifier avec Posadas s'ils procèdent à une autopsie? »

Le bureau se vidait sans qu'ils s'en aperçoivent. Les deux hommes poursuivirent leur travail dans une atmosphère allégée. Quand l'interprète trilingue se présenta, l'humeur de Marceau avait nettement diminué son ampérage. Un mot pour présenter la jeune femme à Pharand et la tour de Babel reprit son bourdonnement: français, espagnol, guarani. Marceau soumettait les courriels de Carlotta à l'interprète et notait en quelques mots la teneur des messages. Dans nombre de cas, il ne notait rien. Sans doute, se dit Pharand, parce que cela relevait de la vie privée et n'apportait rien à l'enquête. « S'il découvre les amours de Carlotta, il va cesser de rêver à elle! » Il chassa la pensée et se concentra sur ses propres documents. Du côté de la fille Gendron, la tâche n'avait rien d'herculéen, du moins en ce qui avait trait à l'ordinateur. Quelques minutes avaient suffi au technicien pour déverser dans le poste de Pharand ce qu'il avait copié dans celui de Gisèle Gendron.

« Du vrai gaspillage! Un ordinateur comme j'en voudrais un pour moi et elle s'en sert pour son calepin d'adresses. Même vous, avait-il complété avec un sourire, vous pitonnez plus qu'elle!

– Donne-moi donc ton nom, toi, que je le garde dans mon classeur, répondit Pharand mimant une inexistante rancune. Pas de problème avec le mot de passe?

— Pas de temps à perdre avec ça. On regarde en dessous de la jupe de l'ordinateur, on dit bonjour au disque dur, on l'écoute et on dit au mot de passe d'aller se faire voir. »

Pharand préférait ne pas trop se familiariser avec les mœurs et les illusions de l'informatique. De fait, les rares icônes créées par la fille Gendron référaient à des guides touristiques, à des agences de rencontres, à des voyages organisés. Les photographies prises à partir des documents inventoriés dans l'appartement placé sous scellés étaient autrement loquaces. Les relevés mensuels des cartes de crédit révélaient la boulimie de la dame en matière de restaurants, de spectacles, de parades de mode, d'achats de vêtements. Pharand s'intéressa aux frais de voyage: New York revenait souvent, Paris presque autant, deux Clubs Med au Mexique et au Maroc, mais rien n'évoquait l'Amérique du Sud. Aucune mention de l'Argentine, du Brésil, du Paraguay. Gisèle Gendron était morte en Argentine sans même utiliser les deux moitiés de son billet aller-retour. À l'œil, Pharand établit à une vingtaine de milliers de dollars les caprices mensuels de l'héritière. Simple approximation. Le relevé mensuel d'une banque permit d'ajouter le loyer, la location de la Mercedes... Quelques gros montants apparaissaient, mais impliquant des compagnies à numéros. Abris fiscaux? Mise de fonds sur l'acquisition d'un condo huppé ou exotique? Le gabarit des dépenses rendait plausibles de telles lubies. À vérifier, nota Pharand en précisant les dates, les montants et les destinataires. « C'est elle qui méritait la perquisition », se dit-il en revenant à l'effervescence de Marceau. « Étrange quand même que l'héritière Gendron se précipite seule et au pied levé vers un pays inconnu. »

Marceau s'immisça dans sa réflexion :

« Le corps est revenu à Posadas pour autopsie. Le médecin légiste la pratique aujourd'hui. Il a demandé à Juanita si elle avait besoin de tests particuliers, ajouta-t-il avec un clin d'œil à la rougissante interprète, mais je ne sais pas si c'était pour la draguer!... »

Juanita, qui n'avait pourtant rien de la jouvencelle en noviciat de la vie, rigolait en cachant son rire de la main. Pharand la salua et saisit l'occasion au vol.

« Jean-Jacques, parle tout de suite à Jacques Lamy, à l'Institut médico-légal...

— Le fils spirituel de Wilfrid Derome?

— En plein lui. Demande-lui quels tests diraient si Gisèle Gendron avait reçu des vaccins avant d'aller en Argentine. Juanita pourra rappeler son médecin argentin... »

Nouveau rire de perruche agitée. En passant des inepties épidermiques de la fille Gendron au dossier squelettique et froid de Carlotta, Pharand se sentit téléporté vers une autre galaxie. Il inversait le parcours de Marceau et quittait le luxe insolent d'une vampire pour le quotidien frugal d'une militante. Même le matériel à étudier se présentait de façon contrastée : autant l'une dédaignait l'ordinateur et attendait le flot des factures et des relevés, autant l'autre traitait l'informatique comme une police d'assurance. «Comme une enfant qui fait ses gammes tous les jours, constata Pharand. Exactement ce que je devrais faire!» La comptabilité de Carlotta n'était que minutie et transparence et Pharand la survola sans voyeurisme. Il releva une constante: un montant de 3 000 dollars entrait le premier de chaque mois, un montant de 1 800 dollars sortait du compte le lendemain à destination d'un dénommé Enrique à Encarnación. Le résidu s'émiettait en dépenses de loyer, d'alimentation, de chauffage, de versements à la compagnie de téléphone. En quelques chiffres, Carlotta avait tout dit de son standard personnel.

En pivotant des papiers de la fondation aux laconiques confidences de Carlotta, Pharand eut réponse à la première question: c'était la fondation qui versait le 3 000 dollars mensuel. Motif? Salaire. Plantureux sans doute selon les barêmes paraguayens, plausibles en sol québécois. À quelques exceptions près, les autres montants dépassaient ce niveau de beaucoup. Deux fois un million, une fois un million et demi... En peu de jours, ces blocs étaient fragmentés et prenaient la direction de l'Amérique du Sud. Un compte ouvert à Posadas encaissait en trois occasions la somme de 5 000 dollars, tandis que trois comptes ouverts à Encarnación, et donc au Paraguay, étaient approvisionnés à hauteur de 200 000 ou de 300 000 dollars chacun en un très court laps de temps. Le premier million n'avait même pas fait la sieste dans les coffres québécois de la fondation. «Tout converge», jugea Pharand: version du notaire, témoignage de la caisse populaire, opinion du pénétrant cinéaste. Seul bémol, le silence des documents sur les mouvements de fonds des derniers jours. Ce que Pharand tenait en main démontrait que les premiers montants importants étaient entrés et sortis. Aussi révélateur, les assises financières de la fondation se déplaçaient vers l'autre côté du fleuve-frontière. Encarnación remplaçait Posadas. «La seule chance des Guaranis, avait affirmé Michel Granger, c'est de miser sur le Paraguay.» Se trouvait ainsi endossée l'insistance de Carlotta sur le statut accordé au guarani par le Paraguay et sur l'approbation qu'aurait donnée Aimé Gendron à la dimension culturelle de la fondation. Une fois de plus, Pharand retombait dans ses ambivalences. L'enquête ne devait pas reposer sur un unique témoin, si sympathique soit-il et même si tout renforçait la fiabilité de Carlotta. Par ailleurs, en voulant mettre à l'abri une jeune Guaranie à l'enthousiasme fervent, il avait blessé cette femme et Marceau. Revenant (enfin!) à son calepin, il souligna d'un double trait l'urgence de scruter les données de la caisse populaire. Il entrevoyait un lien entre la gourmandise des héritiers et les voyages brusqués. Mais pourquoi Gisèle plutôt que son frère?

Le policier n'avait encore consacré que peu de temps et de concentration à la paperasse. Pourtant, il lui tardait déjà de reprendre le «vrai travail», celui où la traque relie et oppose les humains aux humains et laisse dans leurs silos étanches et parallèles les bits informatiques et les carnets de banque. Il dut se rappeler à l'ordre: c'est lui qui avait proposé à Marceau le partage des tâches qui accordait au plus jeune une meilleure liberté de mouvement. «L'amitié vaut ce prix», se dit-il.

L'icône *minutes* ne promettait pas une lecture affriolante. Carlotta s'y révélait apte aux secs comptes rendus des décisions corporatives. Les courriels non traduits, Pharand les ignorait; si Marceau, Lemay et «la fille aux trois langues» n'y avaient pas vu motif à regard policier, il se ralliait aisément. D'ailleurs, l'essentiel émergeait docilement. Quelques mots et on savait que, à telle date, les administrateurs de la fondation avaient avalisé les orientations proposées et confié à la directrice de la fondation le soin d'affecter les capitaux... L'image d'Aimé Gendron y gagnait autant que celle de son égérie. À partir de quelle sensibilité cet homme dont on avait moqué les origines modestes avait-il aussi sainement perçu le potentiel de cette femme et partagé ses visées? Cela contredisait les sottises ânonnées sous sceau doré par le PhD de service et confirmait les dires de Granger.

Le coup d'œil sur la comptabilité de Carlotta lui fit voir que ses chiffres à elle maintenaient une longueur d'avance sur ceux des relevés bancaires. Le relevé de l'établissement financier parvenait au client 6, 8 ou 10 jours après la fin du mois. Il affligeait ainsi d'un retard de 20 ou 30 jours le rapport sur les transactions effectuées au début de mois précédent. Carlotta, elle, se tenait à jour et le relevé officiel n'était pour elle qu'une corroboration. Le chèque émis le 2 du mois apparaissait le jour même dans la fenêtre de son ordinateur. Pharand s'expliquait le sursaut des enfants Gendron à la réception du relevé bancaire : ils apprenaient le 8 ou le 10 du mois d'octobre qu'une somme de 300 000 dollars avait quitté le compte de la fondation le 5 ou le 15 septembre, alors qu'ils croyaient la fondation paralysée par le changement de la garde. Surprise, colère et, bien sûr, charge de cavalerie contre l'établissement bancaire. De rage en interrogatoire, les enfants Gendron avaient ainsi découvert que d'autres sorties de fonds, dûment autorisées par la fondation et jamais annulées par les remplaçants, réduisaient les avoirs de la fondation : 200 000 dollars le 9 du mois, 300 000 dollars quatre jours plus tard... « De juteuses raisons de descendre en piqué sur la banque de Posadas ou d'Encarnación. » Pharand se décerna *in petto* un brevet de comptable amateur et téléphona à un vieux copain, vétéran de l'escouade des crimes économiques à la Sûreté du Québec.

« Ils n'ont qu'eux à blâmer, fut le verdict. D'après ce que tu me dis, toutes les décisions passent le test, même celles que ta petite madame aurait pu prendre toute seule. Les enfants ont une méchante côte à remonter s'ils veulent poursuivre la caisse ou la banque. Et je les plains s'ils essaient de faire cracher une banque du tiers-monde. »

Le verdict fut à peine plus nuancé quand Pharand s'enquit de la valeur d'un testament qui se heurte à une décision judiciaire de mise sous tutelle. Les termes déjà utilisés par le notaire revinrent en force.

«Tout dépend des dates. Il peut y avoir du flou à propos de chèques postdatés ou des trucs comme ça, mais ça devrait être facile de mettre les documents en ordre chronologique. À l'œil, je dirais que ta petite madame se laisse intimider. Excuse-moi, mais ton histoire sent l'arnaque. On a plusieurs fois travaillé ici dans des salades comme ça. Si tu veux un coup de main, donne-moi les dates et je passe tes petits farceurs au napalm. Mais comment ça se fait que personne n'a défendu le testament?

– Ton hypothèse tient debout. Les enfants du défunt ont actionné le rouleau compresseur, et la directrice de la fondation, qui est une étrangère, ne connaît pas ses droits.

– Bordel, André, ne laisse pas faire ça!»

Chapitre 22

Les derniers jours avaient été durs. Rarement le policier avait-il réfléchi aussi intensément à ses décisions et, pour tout dire, à sa conduite. Bientôt quinquagénaire, Pharand se piquait de pratiquer son métier comme un service public, comme une profession à purger fermement de ceux et celles qui soutirent de l'uniforme et du pouvoir de quoi laver leurs frustrations. Avant même qu'aboutisse la présente enquête, son propre comportement lui posait problème. Il avait indisposé gravement une infirmière contre laquelle il pouvait au plus invoquer un vague soupçon, il avait froidement envisagé une kyrielle de perquisitions que le prudent procureur avait à peine contenue dans des limites raisonnables, il avait peiné une étrangère et choqué son coéquipier... Que lui arrivait-il?

Il dut suspendre l'époussetage de sa conscience quand Marceau le pria de se joindre à Juanita et à lui pour réviser les courriels extraits de l'ordinateur de Carlotta. Grande, assez lourde, une poignée de main à faire gémir un arthritique, Juanita n'avait mis que quelques minutes à se creuser une niche. « On la garderait une semaine qu'elle régirait notre alimentation, se dit Pharand.

Du bois dont on fait les braillardes de tribunes téléphoniques.» Marceau, qui l'avait un peu plus fréquentée, l'avait identifiée, en aparté, comme «pas très politisée».

«Est-ce qu'elle gardait tous ses courriels, les arrivants et les partants?

– Tu es comme Juanita, André. Tu penses que la corbeille, c'est une vraie efface. Erreur! Regarde bien la prochaine brassée de courriels des services techniques. Ces gars-là torturent le disque dur jusqu'à ce qu'il régurgite tout ce qui lui est passé par la mémoire depuis sa naissance.

– Ça n'a pas toujours été comme ça! protesta Pharand pendant que Juanita étalait son étonnement

– Non. Quand les disques durs avaient une capacité limitée, ils effaçaient vraiment des choses si on les gavait avec trop de neuf. C'était leur trou normand à eux: ils brûlaient de la graisse pour faire de la place. C'est fini. Aujourd'hui, tu en ajoutes et tu en ajoutes et il reste encore des kilomètres de tablettes. Alors, si le technicien dit "Sésame, passe aux aveux!", le billet doux d'il y a un an remonte à l'écran. Dans ce cas-ci, cela ne fait pas un gros bagage, surtout si on oublie ce qui ne nous regarde pas.»

Marceau en rajoutait, au grand plaisir de Pharand. Juanita répandrait tous azimuts un témoignage sincère au sujet de la discrétion policière...

«Il y a une centaine de messages que je n'ai pas traduits, expliqua Juanita. Ça dit bonjour, ça parle comme des cartes postales, ça demande de donner des nouvelles à la parenté, ça souhaite un bon anniversaire... Je peux tout traduire, mais Jean-Jacques, je veux dire monsieur Marceau, m'a dit que ce n'était pas utile.

– Une centaine de messages personnels en presque deux ans, remarqua Pharand, ce n'est pas beaucoup pour une femme isolée dans un pays étranger.

– À qui voulez-vous qu'elle écrive? expliqua Juanita en levant ses paumes vers le plafond. J'ai eu la même frustration quand je suis arrivée ici. Les deux tiers des gens d'ici ont Internet. Au Paraguay, c'est beau s'il y en a un sur cent. Vous pouvez écrire à un fonctionnaire, à une agence de voyages ou à une banque, mais pas à votre famille. »

Pharand, assuré que Marceau avait *couvert ses angles*, ne s'était pas informé du cheminement personnel de leur interprète. En la regardant, il se remémora la remarque de Granger au sujet de la solidarité et du militantisme des nations minoritaires. Marceau combla le vide et le rassura.

« Juanita vient du Chaco. C'est un territoire qui appartient à l'Argentine, mais qui a changé de mains à plusieurs reprises. »

Elle jugea probablement le curriculum un peu squelettique.

« Au Paraguay, le guarani est beaucoup plus populaire que l'espagnol, mais, dans le nord de l'Argentine, il y a bien des gens qui le comprennent. Comme moi », conclut-elle.

Marceau reprit les commandes.

« Dans le reste, on a droit à des courriels passablement secs. Carlotta parle comme une cheftaine de succursale. Elle rapporte ce que le grand patron a décidé et elle dit ce qu'il faut faire. Cette femme-là a les idées claires. Dans un dossier, elle veut une école qui prendrait les enfants après le primaire. Pour que les parents laissent partir la main-d'œuvre, elle branche là-dessus un autre projet qui embaucherait les jeunes comme guides touristiques rémunérés à mesure qu'ils ingurgitent leur scolarité et l'histoire des Guaranis. Dans chaque cas, tu as le budget prévu et on te dit qui va signer en plus de Carlotta. Sec et très sec. Avec ce que tu as vu dans la comptabilité de la fondation, tu verras si ça concorde. Moi, j'ai confiance.

– Vous avez une troisième pile...

– Ceux-là, coupa Juanita, Jean-Jacques m'a demandé d'en traduire le plus possible. J'ai surtout résumé. Je me sentirais plus à l'aise si je pouvais revoir la traduction. Je ne voudrais causer de tort à personne. »

Marceau proposa une synthèse, mais sur un ton peu assuré. Les courriels étaient adressés à trois personnes différentes et toujours en guarani. L'un des destinataires était à Asunción, le deuxième à Encarnación, le troisième à Posadas. Carlotta s'adressait à elles comme aux membres d'un réseau, expédiant à chacune des mandats précis. « Une vraie colonelle! » Elle veut savoir si les hôtels sont achalandés, si les investisseurs circulent, qui se sert des aéroports des deux côtés du fleuve, si les trafiquants de drogues sont actifs, si des pots-de-vin sont exigés...

« C'est bien ça, Juanita? Pourquoi souris-tu?

– Parce qu'elle passe son temps à parler de la moralité des gens. Les pilotes d'avion sont-ils achetables? Qui influence les touristes pour qu'ils aillent dans tel hôtel? Et puis, ajouta-t-elle, c'est agaçant de la voir vanter les Guaranis comme s'ils avaient une culture supérieure et qu'ils étaient les seuls à n'avoir qu'une parole. Mais je me mêle de ce qui ne me regarde pas. »

Elle ne manifestait pourtant aucun remords. Elle en rajoutait plutôt : est-ce qu'une fondation a besoin de fouiller partout?

« Est-ce que les courriels de ce genre-là prennent plus de place à mesure que le temps passe? » demanda Pharand.

Marceau et Juanita se regardèrent.

« Tu as l'œil, mon André! On se disait justement ça. Regarde les dates : aucun courriel de *fouinage* pendant les huit premiers mois, puis une pleine barge dans les trois mois qui suivent. Est-ce que le père Gendron voulait une fondation ou une entreprise missionnaire? As-tu senti quelque chose en lisant les papiers de la fondation? »

Pharand laissa flotter la question. Marceau, refroidi, comprit, un peu tard, que l'heure n'était pas aux indiscrétions. Après tout, Juanita avait encore moins que Carlotta le droit de pénétrer dans le saint des saints de l'enquête policière.

« Jean-Jacques, demande donc à l'administration quelque chose pour les services professionnels de Juanita. Grand merci, madame. Nous conservons vos coordonnées en cas de nouveau besoin. »

Pharand se réfugia dans ses pensées pendant que Marceau reconduisait l'interprète à la sortie de la centrale. Il se secoua quand son collègue revint s'asseoir devant lui avec deux autres cafés de trop. Marceau aussi était méditatif.

« Comme dirait le copain juif de mon Stéphane, est-ce que tout ça, c'est *kosher*? »

Ni l'un ni l'autre n'osait trancher.

« Je me sens comme un yoyo, dit enfin Pharand. Dans tout ce que j'ai lu, Carlotta est la transparence incarnée. Elle met Gendron au courant de tout, même si elle a procuration pour décider toute seule. Quand elle défend un projet d'école disons secondaire, elle te gave de précisions : l'enseignement va se donner en guarani, les archéologues vont faire leurs fouilles tout près... Gendron devait acheter ces idées-là. Mais là, c'est autre chose. C'est peut-être ça une étude de marché ou une enquête sociologique, mais l'utilisation des aéroports, ça me mystifie.

— Attends-tu encore des réponses? Jean-Philippe compte sur moi pour disputer le championnat mondial de golf petit format.

— Bon Dieu, six heures et demie! Je suis crevé. »

Marceau eut le geste familier de son collègue : les doigts d'une main pointés dans la paume de l'autre. Temps d'arrêt.

« N'oublie pas ce que je t'ai dit, André, mais ne ferme pas la porte de ton fan-club. »

Sans trop s'en apercevoir, Pharand demeura encore une demi-heure à son bureau. Il s'illusionnait en croyant qu'il parviendrait, dans le calme d'une bâtisse non pas désertée, mais presque apaisée, à rétablir une certaine rigueur dans sa réflexion. Toujours refluaient en lui, d'une part, les questions torturantes de Marceau et du limier de l'escouade des crimes économiques et, d'autre part, le sentiment d'obéir à la fatigue ou à d'obscurs emportements plutôt qu'à la rigueur. Il avait trop d'expérience pour ne pas reconnaître le passage à vide que provoquent à peu près toutes les enquêtes quand on ne sait plus s'il faut s'entêter à les résoudre ou les abandonner à leur mystère. Il lui semblait pourtant qu'il y avait, cette fois, autre chose. Peut-être la crainte d'être confronté pour la première fois à l'embarrassante convergence du crime et de l'idéologie, du meurtre et de la revendication sociale. Gendron aurait-il été entraîné, ainsi que le prétendaient le PhD et les enfants Gendron, dans la folle défense d'une cause dont il ne connaissait que le pourtour? Ce que Granger avait décrit comme une solidarité des opprimés et des minoritaires, était-ce une sorte de voie royale du crime, l'alibi meurtrier de ceux qui adhèrent de si près à leur cause qu'ils en minimisent les coûts? Bien avant de conclure à une quelconque culpabilité de Carlotta, il devait à la jeune femme de jauger honnêtement les motivations qui la mettaient en mouvement. Cette enquête, en plus d'être désagréable en raison de ses ramifications en santé mentale, allait-elle dégénérer en magma politico-criminel? Il se contenta de noter dans son calepin deux avenues encore peu explorées. D'une part, les courriels non pas expédiés par Carlotta, mais reçus par elle, que disaient-ils? D'autre part, faire subir aux documents saisis chez le fils Gendron le même examen qu'à ceux dont on avait dépossédé Carlotta.

Il était prêt à parier que son intuitive Pierrette l'attendrait - deux fois en une semaine, cela ne crée pas une habitude - avec un scotch.

Chapitre 23

Autre jour, autre humeur. Il est des jours en automne où l'été s'entête et qui comblent le besoin de faire provision de vitalité. Le Marceau de ce matin n'avait rien de morose ou même de retenu. Chemise blanche à manches courtes sous le veston noir, pantalon anthracite, cravate joyeuse, il irradiait la fierté et le bien-être d'un vigoureux jogging matinal. À le voir, Pharand se sentit ragaillardi.

« Et comment va le vieux ce matin? »

Malgré sa banalité ou à cause d'elle, le salut marquait le retour à la cordialité. En dépit de l'exiguïté des locaux et de la proximité des collègues, l'accrochage à l'intérieur du tandem n'avait pas attiré l'attention. Le milieu avait d'ailleurs l'épiderme assez résistant pour absorber les brouilles les plus abrasives. Il fallait qu'une mutation démembre une équipe pour que l'entourage prenne conscience d'une mésentente profonde. On savait Marceau primesautier, on le savait capable de décompression.

« Je ramasse mes messages et je te reviens », fit Marceau.

Il n'était encore que huit heures. L'activité, réduite pendant la nuit, haussait le ton graduellement. Dès l'arrivée, chacune ou chacun, après un salut englobant à la confrérie, vérifiait les messages reçus par la réceptionniste ou tenus en laisse par l'ordinateur.

« Je redemande un coup de main à Lemay, dit Marceau. J'ai quelque chose de Posadas, mais c'est en espagnol. As-tu des mystères à lui faire traduire, toi aussi?

– Peut-être, répondit Pharand, mais c'est le guarani mon problème. Juanita a traduit les courriels envoyés par Carlotta, mais on ne sait pas ce que Carlotta a reçu.

– C'est ma faute, avoua Marceau, je ne l'ai pas demandé. Il y en a seulement quatre ou cinq. Regarde, cinq. Tous dans les dernières semaines. Ça ressemble au français des Africains dans *Tintin au Congo* : des mots détachés. Peut-être que Lemay peut essayer...

– Ou Carlotta elle-même... »

L'étonnement de Marceau n'était pas feint.

« Écoute, Jean-Jacques, elle sait qu'on a ses courriels. Pourquoi ne pas lui donner une chance d'expliquer ses messages et les réponses? En plus, je me suis fait servir un savon par un gars de l'escouade des crimes économiques.

– T'as parlé à la SQ? »

Un kilo de surprise piqué d'un zeste de frustration.

« Oui. Un vieux contact, répondit Pharand, soucieux d'éteindre dès le premier frétillement la méfiance de son collègue à l'égard de tout ce qu'on ne lui avait pas révélé assez tôt. Il m'a reproché de ne pas défendre Carlotta contre les enfants Gendron.»

Marceau eut l'élégance de ne pas tourner le fer dans la plaie. Cet endossement de l'extérieur apportait de l'eau à son moulin. Pharand poursuivait:

«Je vais transmettre le message à notre prudent procureur. D'après mon gars, la cause de Carlotta et de la fondation est plus que défendable. Je te cite la conclusion: "Bordel, André, ne la laisse pas tomber!"

– La SQ, Pierrette et moi dans le même camp! Tu dois commencer à te sentir tout seul...»

Le propos effectuait le travail d'une râpe, mais aucune méchanceté ne s'y infiltrait.

«J'aime mieux cette solution-là, conclut Marceau. Juanita est sûrement compétente, mais, bon Dieu, qu'elle fait *sœur supérieure*! Tu lui donnes un pouce et elle essaie de faire entrer un train routier. Le genre de bon monde qui te donne le goût d'aimer le mauvais! J'appelle Carlotta. Et toi, ton programme? Un petit dodo dans la paperasse?»

Car paperasse il y avait. Les techniciens avaient noyé le pupitre de Pharand sous des piles de chemises aux couleurs voyantes. Une note s'y ajoutait: «Nous avons transféré le disque dur de Simon Gendron dans le vôtre.» Quand étaient-ils venus et comment avaient-ils bricolé les mécanismes de défense? Mystères qui mettaient l'humour de Pharand à rude épreuve. «S'ils me traitent comme ça, qu'est-ce que ça doit être avec les vrais terroristes!»

Marceau lut la note avec le cynisme requis par le procédé:

« Tu comprends pourquoi ces mecs-là se fichent éperdument des mots de passe... »

En hommage aux pressions écologiques qui avaient substitué la faïence aux verres en polystyrène, il partit rincer sa tasse, pendant que Pharand se carrait dans sa chaise à bascule et entamait la nauséabonde fréquentation des documents saisis chez le fils Gendron. Avant même le premier coup d'œil, il jeta un rappel dans son aide-mémoire : « Où est-il? Quand revient-il? »

Le train de vie de Simon Gendron rappelait celui de sa sœur quant à la frénésie des dépenses. L'appartement de Mérici n'intervenait que pour un mince pourcentage dans la prodigalité. Voiture luxueuse, garde-robe griffée, Gucci en nombre suffisant pour une armée en marche, agitation grégaire avec un sillage de suites, de traiteurs, de services d'escortes... Les relevés de la période antérieure au décès du père n'atteignaient pas le même niveau que les plus récents, mais ils totalisaient sans se gêner une quinzaine de milliers de dollars par mois. Depuis la mort d'Aimé Gendron, la cadence s'accélérait. Les relevés mensuels des banques et des cartes de crédit mentionnaient en outre des retraits substantiels. Pharand n'osait pas tirer de conclusion hâtive à partir du sachet de neige saisi dans l'appartement de Gendron junior, mais il n'éliminait pas l'hypothèse d'une dépendance à tel ou tel paradis artificiel. Une autre possibilité prit du volume quand le policier commença à entrecroiser les voyages du fils Gendron et ces sorties de fonds. Comme par hasard, tel retrait de plusieurs milliers de dollars coïncidait avec une «saucette» de 24 ou de 48 heures à Atlantic City ou à Las Vegas. «S'il est joueur en plus, sa poule aux œufs d'or ne pondra pas longtemps...» Tout cela l'agaçait, mais se conduire en playboy n'apparaît pas dans le code criminel.

Simon Gendron se distinguait de sa sœur quant au choix des destinations. Paris ne lui disait rien, Venise non plus, ni Londres. Mais, contrairement à Gisèle, dont le premier voyage en Amérique du Sud lui avait valu la mort, Simon s'était rendu en Argentine et au Paraguay au moins quatre fois au cours des trois derniers mois. Des voyages courts. Deux ou trois jours. Y en avait-il d'autres, qui auraient été payés comptant et dont la trace n'apparaîtrait pas dans le sommaire des cartes de crédit? Nouvelle note dans l'aide-mémoire: «Vérifier à l'agence de voyages.» L'idée lui vint d'entrecroiser les voyages en Amérique du Sud avec les retraits massifs. Ce fut un coup d'épée dans l'eau. Simon Gendron devait savoir que les voyageurs qui transportent plus de 10000 dollars d'argent liquide s'exposent à la curiosité des douaniers. Il y avait forcément une astuce, car il était improbable que ce prodigue éclaboussant circule sans une fortune en espèces.

Pharand ouvrit les chemises suivantes pour se faire au moins une image sommaire de leur contenu. Un en-tête lui sauta aux yeux: *Banco del Rio...* Il fut tenté d'y répondre par un *Bingo* sûrement international. L'hypothèse qui avait surgi dans son esprit se confirma bientôt. Gendron fils se faisait précéder en sol sud-américain par de substantiels transferts de fonds. Friand de graphiques et de mises en parallèle, Pharand repoussa son aide-mémoire squelettique et attira à lui sa longue tablette au quadrillage d'un bleu complexé. La chaise à bascule se redressa et lui colla l'abdomen contre le bureau. Par habitude, il se reprocha ce que la pudeur moderne maquille en « légère obésité », mais chassa aussitôt la culpabilité et les résolutions stériles. Des colonnes se formèrent, dévouées tantôt aux dates, tantôt aux montants, tantôt à la sortie des fonds, tantôt aux retraits. Certes, ce jeu de cache-cache ne livrait pas encore ses raisons, mais une chose ressortait: Gendron s'était rendu en Amérique du Sud quatre fois en moins de trois mois et, chaque fois, il avait expédié là-bas, puis encaissé sur place des montants variant de 10000 à 25000 dollars. Peut-être avait-il effectué d'autres envolées que son agence de voyages pourrait retracer. Gendron, en effet, ne ressemblait pas aux méticuleux qui négocient sur Internet le billet le moins onéreux. Pourquoi n'avait-il pas effectué un petit voyage de plus au lieu de laisser sa sœur plonger dans l'inconnu? Et pourquoi Gendron junior, citadin impénitent, cultivait-il Asunción, au lieu de Rio, de Sao Paulo ou de Buenos Aires? L'aide-mémoire prit note.

Pharand essayait d'imaginer la fugue type de Gendron fils. Montréal ou Toronto comme point de départ, vol avec Aerolineas Argentinas si possible, escale à Miami et atterrissage, disons, à Asunción. Saut de puce à Posadas ou ailleurs, et puis quoi? Visite à la banque pour encaisser le magot transféré la veille ou l'avant-veille. Nuitée dans un interchangeable Hotel Intercontinental ou Excelsior et retour par le vol inverse. Force était d'imaginer qu'Asunción ou Posadas constituaient elles-mêmes des escales et que Gendron junior s'agitait en dehors de ces villes moyennes. À quelle fin? Par quel moyen?

Ranimé par un caprice de la mémoire, un propos de Granger reprit vie: 12 aéroports avec une piste pavée, 868 aéroports avec une piste sans pavage! S'offrait ainsi à Gendron la panoplie des destinations et des moyens discrets. Pour sortir d'Asunción ou de Posadas? Des dizaines de petites entreprises et de pilotes de brousse. Pour un élan de crapaud vers un village enfoui, pour une négociation avec un réseau rebelle à la clarté, pour une rencontre sans témoin. Chercher le nom de l'entreprise, questionner la tour de contrôle d'un aéroport de palier professionnel, c'était perdre son temps et sa salive. Il fallait pourtant un motif impératif pour qu'un gringo comme Gendron confie sa destinée, lesté de milliers de dollars en liquide, à un individu aux coordonnées ouatées. À quoi ressemblait le motif lorsque Gisèle et non son frère voyageait sur les ailes de la rage jusqu'en zone tropicale? Quelle riposte avait-elle concoctée en apprenant que la fondation nourrissait encore des parasites guaranis? Exécutait-elle un plan bricolé à deux? Belles questions, réponses aléatoires ou poreuses.

Un peu engourdi par son *dodo dans la paperasse*, Pharand s'aperçut soudain que ses questions décalquaient souvent celles de Carlotta à ses correspondants d'Asunción, d'Encarnación et de

Posadas. Cherchaient-ils tous deux à percer le même mystère? Devait-il s'en réjouir?

Puisque la jeune Guaranie revenait à l'avant-scène, Pharand décida de relayer au prudent procureur le commentaire acide dont l'avait gratifié l'expert de l'escouade des crimes économiques. Il en profiterait pour l'informer des éléments cueillis au cours des perquisitions, les utiles comme les autres. Poli, mais bousculé, le procureur manquait de temps. Oui, il verrait, prudemment bien sûr, si un avocat de pratique privée pouvait s'intéresser à la fondation et peut-être contester la thèse des enfants Gendron et de l'avocat Letarte. Quand se termina une conversation menée presque sèchement, Pharand jugea préférable d'interroger l'agent de voyages du fils Gendron sans recourir à un mandat de perquisition, quitte à voir surgir l'avocat du dépensier. « Chat échaudé craint l'eau froide », se dit-il.

La conversation avec l'agent de voyages se déroula en deux temps. Chichis rituels au début, au motif que l'agence pratiquait le mutisme des cimetières au sujet des voyages réels ou appréhendés de ses clients, puis, la rectitude corporative apprivoisée et renvoyée à la niche, la réponse s'afficha, toute simple, celle qu'anticipait Pharand: Gendron junior avait effectué un cinquième voyage en Amérique du Sud et l'avait payé comptant à l'agence. Il y avait huit jours à peine. À destination d'Asunción. Pourquoi le sprint de Gisèle sur les traces encore chaudes de son frère? Et pourquoi ce paiement en liquide?

Chapitre 24

Marceau s'en voulait de ne pas avoir engagé avec Pharand le pari qu'il avait en tête. Il croyait tant à la transparence de Carlotta qu'il aurait juré que, d'elle-même, elle remettrait les courriels postérieurs à la perquisition.

« Je vous les ai expédiés par Internet, dit-elle en lui tendant les copies, mais j'ai fait un petit résumé en français. »

Marceau pavoisait comme un néon tout neuf : il avait vu juste. Leurs traits à tous deux gardaient quelque chose d'involontairement cassant, à la manière de tissus amidonnés à outrance. Ils s'étaient installés à la table de cuisine.

« Vous direz merci à monsieur Pharand. Il a appelé pour s'excuser. Il m'a dit que vous m'aviez défendue de façon pas gentille et je lui ai dit que vous m'aviez posé des questions pas gentilles au sujet de monsieur Gendron... »

Cela faisait beaucoup de manquements à la gentillesse. Du dernier reproche, Marceau se serait passé! Sa question sur la jalousie d'Aimé Gendron, il l'avait escamotée dans son compte rendu à Pharand. Mis au courant par Carlotta, celui-ci la lui rappellerait un jour de taquinerie.

«Votre procureur m'a donné le nom d'un avocat.»

Son sourire éclatait enfin. La perquisition l'avait blessée, mais pas étonnée; ainsi font les policiers. Mais des excuses et une référence utile, c'était inattendu. Du menton, elle désigna la liasse de courriels apportés par Marceau et attira à elle une unique feuille de papier.

«Vous voulez que j'explique?»

Elle traduisait le courriel rédigé en guarani, identifiait l'auteur et expliquait auquel de ses propres courriels le correspondant réagissait.

«Ignacio travaille à la tour de contrôle d'Asunción. Il connaît les horaires, les compagnies d'aviation, les grosses comme les petites, les visiteurs réguliers. Il a une idée de ce que viennent faire ceux qui débarquent d'un gros avion et qui sautent tout de suite dans un petit appareil. Il subit la pression, car le Paraguay va enregistrer les voyageurs.»

À un autre, Carlotta confiait la surveillance des magouilles. À tel autre, guide touristique et chauffeur à Posadas, elle demandait de prendre le relais. À la classification esquissée dès l'aéroport d'Asunción s'ajoutait un tamisage départageant les touristes authentiques, les requins exotiques et les caïds locaux. Si l'individu ne s'intéressait ni de près ni de loin aux fabuleuses chutes d'Iguaçu, il éveillait le doute sur la pureté de ses rêves! Tel autre correspondant, présent à Encarnación, préparait les chantiers, embauchait la main-d'œuvre, réchauffait la motivation des jeunes en route vers les diplômes d'archéologue, d'historien, etc. C'est lui qui subissait les pires pressions, car rien n'échappait à la gourmandise des intermédiaires, des entremetteurs de tout poil, des rackets. L'arrivée de 500 soldats américains au Paraguay achevait de brouiller les cartes.

« Est-ce que toutes ces informations sont nécessaires?

— Peut-être pas pour toujours. C'est nécessaire aujourd'hui. Si la fondation peut s'éloigner du triangle pourri, on dépensera moins d'énergie en précautions.

— Je ne voyais pas monsieur Gendron en chef du contre-espionnage, fit Marceau.

— Vous ne le connaissez pas! »

Les mêmes mots, vidés pourtant de la charge émotive qui affleurait lors de la question sur la jalousie de Gendron.

« Il a tout approuvé! Au commencement, il trouvait que nous n'étions pas assez prudents. On faisait confiance aux gens, puis on s'apercevait que notre contremaître embauchait sa famille ou que le terrain qu'on voulait avait changé de prix en trois jours. Il parlait de ses chantiers de construction et il disait: « Il faut tout savoir pour éloigner ceux qui ont des méthodes pas correctes...

— Votre monsieur Gendron n'a pas fini de m'étonner. Sociologue, philosophe, enquêteur...

— Vous étiez injuste avec lui l'autre jour et vous l'êtes encore. Pourtant, vous ne le connaissez pas. »

Marceau ne répliqua pas. Carlotta le déconcertait. Son ton devenait plus assuré, ses affirmations, plus coupantes. Ses désaccords, elle hésitait moins à les signifier. De fait, ni lui ni Pharand n'avaient eu de contact avec Aimé Gendron. L'un et l'autre s'étaient interrogés, PhD aidant, sur la santé mentale du personnage. Même questionnement sur la nature exacte de sa relation avec la belle Guaranie. Carlotta en faisait maintenant une sorte de stratège du développement communautaire, même si le défunt ne détenait aucun diplôme digne de s'accrocher au mur.

« Nous avons lu tous les documents de la fondation. Tout est clair. Vous demandiez l'approbation de monsieur Gendron même quand vous pouviez vous en passer. Mais nous n'avons rien vu sur votre réseau d'espionnage.

– J'ai compris en retard. Et espionnage est un gros mot. »

Elle marqua un moment d'hésitation.

« Je pensais qu'il était trop méfiant. Il me conseillait de ne pas élaborer sur nos projets. C'est pour cela que les procès-verbaux de la fondation sont aussi courts. Il avait peur. Il ne savait pas d'où l'attaque viendrait, mais il la sentait venir. Je ne l'ai pas cru...

– Pourquoi avez-vous changé d'idée? Parce qu'il est mort? Ça n'a pas de sens, Carlotta! Il se méfiait de ses enfants, pas de ce que vous appelez votre triangle pourri! »

Silencieuse, peut-être blessée, elle s'empara des courriels reçus de ses correspondants et imprimés par Marceau.

« Regardez. »

Elle encercla une lettre dans trois courriels différents. Un *S* majuscule apparaissait dans chacune des missives.

« Simon, dit-elle laconiquement.

– Pourquoi Simon? Mon guarani n'est pas meilleur qu'hier...

– On le suit depuis qu'il vient en Amérique du Sud. Il descend à Asunción, rencontre un pilote d'avion qui parle au moins espagnol et français, et ils partent ensemble. Le plan de vol est transmis à la tour de contrôle, mais il n'est pas respecté jusqu'au bout. On ne sait pas s'il y a une ou plusieurs escales entre Asunción et Posadas.

– Parce que vos espions retrouvent la trace à Posadas?

– Oui. »

Cette fois, elle n'avait pas bronché au terme *espions*. Elle passait à un autre courriel, lui aussi en guarani. *S* se présente à une banque, va luncher dans un restaurant avec son pilote et un Argentin apparemment bilingue, car les trois participent à la conversation. Puis, *S* revient à l'aéroport. Ou bien l'avion se rend tout près d'Iguaçu sans entrer au Brésil. Ou bien il repart vers Asunción. D'après les calculs, ils doivent faire au moins une escale, car le vol entre Posadas et Asunción dure trop longtemps.

« Qu'est-ce que vous soupçonnez? demanda Marceau, en familier de la méfiance policière.

– Je ne sais pas. Peut-être un arrêt à Encarnación.

– Là où vous voulez transférer la fondation? »

Elle acquiesça.

« Jean-Jacques, cet homme est prêt à tout pour s'emparer de la fortune de monsieur Gendron. Lui et sa sœur voulaient détruire la fondation et reprendre l'argent que monsieur Gendron avait donné. Quand il rôde près des projets de la fondation, nous sommes inquiets. »

De fait, Marceau aussi avait de quoi s'inquiéter : des liens se dessinaient entre le fils Gendron et ce que Carlotta dénommait le triangle pourri.

« Et la police, que dit-elle?

— Laquelle?

— *S* et son pilote évitent la frontière brésilienne qui passe à côté des chutes, mais ils multiplient les allers-retours entre le Paraguay et l'Argentine. Ça devrait intéresser au moins ces deux polices-là, non?

— Je vous l'ai dit, fit-elle en hésitant. Là-bas, c'est différent.

— Corruption? »

Elle acceptait l'explication, mais elle insistait aussi sur les contraintes physiques. Marceau lui donna raison. Il avait d'ailleurs noté dans son aide-mémoire les chiffres recueillis sur Internet : le Paraguay possède une frontière de 1 880 kilomètres avec l'Argentine, de 750 avec la Bolivie et de 1 290 avec le Brésil... Si les États-Unis ne parviennent pas à surveiller leur frontière avec le Mexique, que peut le Paraguay avec des frontières plus longues? Un triangle traversé par les intérêts d'au moins trois faunes aux appétits sans fond, une dose éhontée de corruption, des centaines d'aéroports sans surveillance, tout cela rendait le contrôle policier proche parent du gruyère.

«Je n'ai pas vu de G dans vos courriels. Est-ce que Gisèle Gendron a échappé à vos espions?

– Non, mais presque. Nous ignorions son projet de voyage. Ce qui nous a alertés, ce n'est pas elle, mais son pilote. On l'a vu se présenter à l'aéroport d'Asunción et on a cru que Simon s'en venait. Mais le pilote brandissait une affiche avec le nom de Gendron, alors que les deux se connaissent. Sans ça, on n'aurait rien su. Enrique ne pouvait pas la reconnaître, il ne l'avait jamais vue.

– Savez-vous ce qu'elle allait faire?

– Non. Elle a imité son frère. Elle a fait escale à Posadas, elle est allée à une banque. Celle où je déposais l'argent de la fondation. Elle a essayé de bloquer le dernier chèque de la fondation, mais il était trop tard. Elle a repris l'avion et elle s'est rendue tout près d'Iguaçu. Elle n'a pas traversé la frontière brésilienne. Pourquoi aller là? Je ne le sais pas.

– Tout est maintenant entre les mains de la police de Posadas. Elle a interrogé le pilote. Lui, il allait où sa cliente voulait aller et il prétend qu'il n'en sait pas plus. Nous attendons les résultats de l'autopsie. Avez-vous encore l'intention de vous rendre au Paraguay?

– Oui, mais par un autre vol. Je rencontre l'avocat qu'on m'a suggéré. Il va contester le jugement sur monsieur Gendron. C'est plus urgent.»

Cet espoir lui insufflait une exubérante combativité. Le velours de son regard en brûlait.

«Ce serait merveilleux si nous pouvions appliquer le vrai testament de monsieur Gendron! Il y a tellement de projets qui pourraient démarrer!»

Marceau jeta une douche d'eau froide sur ce beau rêve.

« Jusqu'où les membres de votre réseau sont-ils prêts à aller pour défendre la fondation qui les fait vivre?

— Très loin, Jean-Jacques, très loin. »

Sa réponse farouche avait fusé sans hésitation. Elle ne s'était pas avisée de l'ambiguïté de la question. Tandis que Marceau s'enquérait d'une contestation judiciaire, elle référait à une *défense* d'un autre type. Accentuant le malentendu, elle avait enchaîné en rappelant le passé guarani. Ce peuple avait survécu parce qu'il avait regroupé ses bandes et parce qu'il avait résisté aux esclavagistes. Aimé Gendron avait ravivé chez de jeunes Guaranis l'espoir de l'éducation, de l'emploi, de la dignité. Défendre cet espoir, c'était de la légitime défense.

Marceau avait quitté avec, fichés dans l'oreille, ces mots déterminés, sinon menaçants :

« Très loin, Jean-Jacques, très loin. »

Chapitre 25

« Que voulait-elle dire? »

Le récit de Marceau donnait corps aux craintes de Pharand.

« Je ne sais pas. Ce n'est pas une tête folle. D'un autre côté, si cette fille-là a décidé de tuer, je ne paierais pas la police d'assurance de sa cible. »

Le thème du combat idéologique ne les avait jamais plongés dans l'insomnie. Qu'ils en viennent tous deux, par des voies différentes, à s'en préoccuper, cela les dépaysait.

« Son histoire de réseau m'a siphonné jusqu'au fond du réservoir, ajouta Marceau. Jusqu'à hier, leur petit club me faisait rire comme un party d'anciens étudiants. On sort des photos jaunes, on se rappelle les profs idiots, on fête des anniversaires, on demande à l'autre ce qu'il a fait de sa blonde... Là, c'est autre chose. Ils visent quelque chose de précis et tu as l'impression qu'ils creusent des tranchées. Le plus capoté, c'est que je n'ai pas eu à la torturer pour qu'elle identifie ses agents secrets. Elle m'a raconté ça comme si elle résumait un téléroman.

— C'est peut-être qu'ils ont la conscience en paix. Ils ne commettent aucun crime en échangeant de l'information.

— Voyons, André, l'information, tu sais à quoi ça sert. Quand tu cultives tes indics, c'est pour gagner le gros lot, tu veux arrêter quelqu'un. Ça sert à remonter les échelons jusqu'en haut. L'information, c'est un outil, pas de la peinture abstraite. Qu'est-ce qu'ils vont en faire? »

Marceau disait tout haut ce que Pharand ruminait. Il repêcha dans son fatras de documents sa grande tablette quadrillée. Sous l'œil blasé de son comparse, il souligna rudement les sous-titres alignés en lettres carrées.

« O.K., fit Marceau, une petite séance de tablette à synthèse!

— Regarde, enchaîna Pharand. MOBILE, LIMITES, OBJECTIF, SCRUPULES, OCCASIONS... Cinq belles colonnes. Ne perdons pas de temps sur la première, le mobile. Dans notre histoire, c'est l'argent, le mobile. Deuxième question, est-ce qu'il y a des limites?

— Humble enquêteur pas comprendre génial intellectuel policier, commenta Marceau dans le style *Tintin au Congo*.

— Les enfants Gendron contrôlent la succession. Ils ont échappé un morceau de la fondation en ne bloquant pas tous les transferts. Est-ce qu'ils vont s'asseoir sur les autres millions ou se battre au sang pour récupérer en plus ce que la fondation a exporté? Ils ont une limite ou non?

— Merci d'avoir rallumé ma chandelle. Mais si je regarde la CIA de Carlotta, il faut lui poser la même question. Ils sont quatre ou cinq, peut-être un peu plus, et ils ont bouffé un million ou deux.

Plus d'argent qu'ils n'en ont jamais vu. Est-ce qu'ils vont s'asseoir sur cette grosse peluche ou sortir le bazooka pour avaler le reste de la fortune du père Gendron? Pas de limite là non plus!

– Tu as raison, Carlotta peut placer la barre très haut. Un peu à cause de nous. Elle te l'a dit, elle veut ressusciter le testament de Gendron et ramasser tout l'héritage.

– Ça manque de limites, ton affaire. Que les enfants Gendron soient un ou deux, *the sky is the limit*. Carlotta est plus appétissante que les sangsues Gendron, mais elle a faim, elle aussi. Elle non plus n'a plus de limites. »

L'index de Pharand glissait au mot suivant.

« Donc, Jean-Jacques, match nul sur la deuxième question. Troisièmement, l'objectif.

– L'objectif, c'est la même chose que ton mobile de tantôt.

– Pas tout à fait. Avec Carlotta, l'objectif a l'air clair.

– L'air seulement?

– Je ne l'ai pas accusée, fit Pharand d'un ton apaisant. Oui, l'objectif a l'air clair: l'éducation, la langue, la culture. Jusqu'à preuve du contraire, c'est la vertu à l'état pur.

– Pour l'autre camp, tu en as des brassées d'objectifs: les nanas, les gigolos, les autos, les toilettes, la neige...

– Je pensais moi aussi que nos deux rapaces voulaient seulement s'amuser et brûler le fric. Depuis qu'ils font des allers-retours entre Québec et Amérique du Sud, je suis perdu. C'est ça, l'objectif que je cherche. Le fils Gendron est parti avec des dossiers. La réponse est peut-être dedans. Bel objectif chez Carlotta, la folie ailleurs. D'accord?

– Ta quatrième colonne, les scrupules, ça mange quoi?

– C'est de toi, cette question. Tu l'as posée à Carlotta: "Jusqu'où êtes-vous prêts à aller?" Autrement dit, y a-t-il assez de scrupules dans le réseau de Carlotta pour qu'on freine avant le meurtre?

– C'est comme tes limites de tout à l'heure?

– C'était pour l'argent. Là, c'est moral. Vois-tu des scrupules?

– La fille Gendron n'en avait aucun et, d'après moi, le fils ne sait même pas à quoi ça ressemble, un scrupule. Dans le camp de Carlotta, il y a des scrupules, mais ils peuvent les oublier au congélateur si quelqu'un bloque leur cause.

– Donc, sur ce terrain-là, on ne peut éliminer aucune hypothèse, d'accord? Un autre match nul?

– Yep! D'après moi, tu aimes les feuilles de pointage du baseball! Et ton "occasions"? Ce n'est pas une colonne bien utile. Si tu penses à Aimé Gendron, Carlotta a eu cent fois l'occasion de l'empoisonner ou de le pousser en bas d'une falaise, mais ça vaut zéro: elle avait besoin de lui! Les piranhas, c'est une autre affaire. Ils avaient réservé à leur père sa place en enfer et ils pouvaient provoquer l'occasion n'importe quand. Dans le cas de Gisèle, on ne sait pas encore s'il s'agit d'un accident ou d'un meurtre, mais c'est clair que le réseau de Carlotta pouvait la liquider n'importe quand pendant son voyage.

– Donc, résuma Pharand, dans le cas de Gisèle, le club de Carlotta avait un mobile, un objectif, pas beaucoup de scrupules et une brassée d'occasions. Dans le cas du père, c'est le contraire : le réseau de Carlotta avait zéro mobile, zéro objectif, peu de scrupules, des occasions inutiles.

– Lâche tes feuilles et dis-moi ça en français de trottoir : les deux décès, s'ils sont criminels tous les deux, ne seraient pas imputables à la même personne, c'est ça?

– Ça fait partie des hypothèses! »

Le stylo de Pharand cliqua. En face de lui, son collègue avait versé dans son calepin une version miniature de leurs analyses. Deux meurtres, peut-être deux coupables.

« Peux-tu voir où les gens de Posadas en sont rendus? Moi, j'examine ce que tu as ramassé chez le fils Gendron.

– C'est parti », répliqua Marceau, qui détestait la *tablette à synthèse*, mais qui en redoutait la froideur.

Les messages enregistrés à partir du répondeur du fils Gendron attendaient Pharand au service technique. On l'installa dans une pièce à l'ampleur d'une armoire à balais et on l'abandonna à son écoute. S'il voulait raffiner l'analyse, identifier une voix ou découvrir la provenance d'un appel, il n'avait qu'à frapper à la porte voisine.

Pharand accorda la moitié d'une oreille distraite aux délires sexuels du fils Gendron. Agences de rencontres et baizouilles bas de gamme. En revanche, Pharand fit une découverte : le fils

Gendron, qu'il croyait honteux des origines roturières de sa fortune, s'intéressait aux activités qui avaient enrichi son père. Deux des messages retenus par le répondeur donnaient la parole à des promoteurs immobiliers. Ils offraient de discuter plus sérieusement. De quoi? Mystère. Deux messages d'un correspondant argentin recourant à un français maladroit corroboraient les relevés bancaires. Sur le ton de l'ultimatum, Gendron junior recevait l'ordre d'apporter le *carburant* en argent liquide. De quoi nourrir des supputations, trop peu pour en préciser les contours. Pharand nota les précisions fournies par l'afficheur et retourna à son bureau. Pendant sa petite promenade, il se fit la réflexion que Gendron fils perdait peu de temps à pleurer ses morts. Un échange entre le frère et la sœur avait pourtant eu lieu, l'un des premiers immortalisés par le répondeur. La fondation y apparaissait de façon accessoire. « Récupère ce que tu peux », avait demandé le frère avant d'insister sur autre chose. Cette autre chose, à laquelle la sœur et le frère référaient comme à une question déjà débattue, c'était un investissement éventuel à proximité d'Iguaçu. « Perds pas de temps à traverser au Brésil. T'en as pour des heures de taponnage. Regarde seulement le volume de touristes et tu vas voir que j'ai raison. » Quand Gendron avait-il appris la mort de Gisèle? Le répondeur ne le disait pas, signe que l'avocat Letarte avait rejoint directement le fils Gendron.

La sœur décédée surgissait plus souvent dans les courriels reçus par Marceau. Ce dernier avait devancé les souhaits de son collègue: il avait recouru au bilinguisme de Réjean Lemay, car les courriels remis à Pharand s'accompagnaient d'une version française. Traduction cursive, disait le mot d'accompagnement, mais dont le jeune policier garantissait la substance. Après avoir vainement tenté d'établir la communication avec Juanita, qu'il présumait à l'emploi de la police de Québec, le médecin légiste de Posadas condensait les conclusions de l'autopsie pratiquée sur le corps de Gisèle Gendron. Elle avait eu lieu tard la veille, le 4 octobre. On avait attendu l'identification formelle de la victime; elle avait été faite par son frère, dès son arrivée à Posadas. D'après le médecin légiste, les multiples fractures et ecchymoses résultaient du long plongeon de la femme. Comme une poupée désarticulée dont le son coule de partout, le corps avait rebondi de crans rocheux en escarpements capricieux. L'ossature, brisée et même émiettée, témoignait de la violence des heurts. L'arrière du crâne avait subi un traumatisme susceptible, à lui seul, d'entraîner la mort, mais il était impossible d'isoler ce choc ou d'en situer le moment. Nulle trace d'hallucinogènes ou de médicaments. Même si cela ne relevait pas de sa compétence, le médecin estimait, à l'examen du seul soulier retrouvé, que la victime était chaussée de façon inadaptée à l'humidité que répandent sur le sol rocheux ou argileux les embruns des chutes. Dans les circonstances, par défaut plus que par certitude, il concluait à une mort accidentelle. Il acceptait donc la demande d'incinération dont la police de Posadas avait été saisie par le frère de la défunte.

Voyant son collègue terminer la lecture de ce courriel, Marceau intervint:

«Pourquoi voulais-tu savoir si elle avait reçu des vaccins?

— Je voulais surtout savoir quand la fille Gendron avait décidé de partir. Si un pays exige un vaccin contre le choléra ou la fièvre jaune, tu ne peux pas sauter dans l'avion qui part dans une heure. Vérifie donc ce qui est exigé au Paraguay et en Argentine. Faut-il des vaccins? Vérifie aussi si la madame a pris rendez-vous dans un hôpital pour recevoir des vaccins. Ça me surprend que cette femme-là ait pu partir comme une fusée.

— Et ton hypothèse vicieuse? Tu en as forcément une.

— J'en ai au moins deux. Ou bien son voyage était plus ou moins prévu depuis quelque temps et elle s'était préparée, ou bien...

— ... ou bien, intervint Marceau, madame a des contacts pour contourner les rendez-vous et les délais. Je pige! Je parle à notre chimiste, et je lui redemande de fouiller là où on vaccine pour les voyages exotiques. Tu as dû penser à notre sympathique infirmière et à sa pharmacie portative?

— Oui, mais on lui parlera seulement si tu ne trouves rien dans les hôpitaux ou les cliniques spécialisées.

— Tu n'as pas eu un gros succès en conseillant à Gendron junior de ne pas se lancer dans une autre incinération!

– Nuance, jeune homme. Je n'ai rien contre l'incinération. En autant qu'il y a une autopsie avant. »

Chapitre 26

À la manière d'une ficelle mal attachée, les propos équivoques de Carlotta agaçaient Pharand. Les coudes sur son pupitre, la main droite en suspens au-dessus de sa *tablette à synthèse*, il oscillait entre apparenter les deux décès et les dissocier.

L'appel téléphonique qu'on lui transmettait lui parut donc, au moins un instant, une heureuse interruption de ses méditations à géométrie variable. Détente transformée en colère quand une voix féminine l'avisa, en accentuant titres et majuscules, que maître Clovis Letarte voulait lui parler.

« Vous n'avez vraiment pas compris mon avertissement, monsieur Pharand. »

Le début abrupt ranima l'instinct combatif du policier.

« Quel avertissement, monsieur Letarte?

– Je le répète : cessez de harceler les héritiers d'Aimé Gendron et coupez l'aide de la police à la petite Alvarez.

– Monsieur Letarte, vous logez plusieurs accusations dans la même phrase. Pouvez-vous les reprendre une à la fois? Je suis tellement affolé que je risque d'en échapper. »

Pharand se plaisait à opposer une politesse sans aspérité aux orages erratiques de la grossièreté. Face à un interlocuteur qui ne pouvait dire bonjour sans y voir une déchéance, le policier multipliait les banderilles.

« Ne me faites pas niaiser, monsieur Pharand. Je vous connais, vous et votre procureur. C'est vous qui avez envoyé la petite Alvarez chez Jobidon!

— Est-ce que vos clients sont les seuls à avoir le droit de consulter un avocat, monsieur Letarte?

— La petite Alvarez n'a jamais demandé d'avocat avant que la police lui vende l'idée. Je vous le répète, vous arrivez trop tard pour défaire ce qui est arrivé. Son patron a été déclaré fou, il est mort et sa fondation n'a plus de sous. »

Comme éloge funèbre, Pharand avait déjà entendu plus émouvant.

« Si tout est coulé dans le béton, monsieur Letarte, pourquoi faire bouillir votre pression? Détendez-vous et dites à votre savant confrère qu'il n'a pas de cause.

— C'est en plein ce que je vais dire à Jobidon. Il fait mieux de comprendre. Il ne recevra jamais un sou de la petite Alvarez, et mon client, lui, va mettre le paquet.

— C'est vrai, ce n'est pas équilibré, monsieur Letarte. Est-ce que je devrais remettre le dossier à l'escouade des crimes économiques de la SQ? Ça serait plus égal... »

La question avait sonné comme une menace. Incapable de saisir le message des banderilles, le taureau avait pressenti d'autres présences. Pharand profita du moment de silence pour insérer une autre question, celle-là aussi lestée de sous-entendus :

« Quand votre client revient-il?

– Quand il aura réglé ce qu'il a à régler là-bas.

– Apparemment, les funérailles de sa sœur ne le retiendront pas longtemps. S'il n'a pas d'autres raisons de séjourner là-bas, pouvez-vous lui suggérer de revenir?

– Encore le harcèlement! Encore des menaces!

– Disque vinyle usé, monsieur Letarte. On commence à entendre l'autre face. Aviez-vous autre chose à me dire? »

L'échange avait dissipé certains mystères. Pharand eut une pensée reconnaissante pour Pierrette : si la mise sous tutelle d'Aimé Gendron avait été à ce point une cause blindée contre toute contestation, pourquoi l'aurait-on tué? La réaction de Letarte, choqué de l'ajout d'un aviseur légal dans le camp de la fondation, ajoutait des anabolisants à l'hypothèse. Que le décès de Gendron ait été suivi d'un autre n'éliminait pas la possibilité que le philanthrope soit mort de mort naturelle, mais le recours rapide à l'incinération avait étoffé les soupçons. Alors que l'hypothèse du meurtre expliquait toutes les réactions, celle d'une mort naturelle n'expliquait ni la fébrilité des enfants, ni la hargne à l'égard de Carlotta, ni la mise à l'écart précipitée du notaire Mantha. Pharand ne procédait pas à des mises en accusation prématurées, mais son analyse tenait pour (presque) acquis que Gendron avait été éliminé. Du coup, les enfants Gendron entraient d'un bon pas dans son collimateur : ils étaient rongés de voracité, ils étaient prêts à tout pour dépouiller leur père de sa fortune et de son autonomie, ils avaient encerclé Gendron de personnes choisies par eux et dont les intérêts pouvaient s'agglutiner aux leurs, ils puisaient à mains creuses et dévorantes dans la succession, comme s'ils redoutaient d'en perdre le contrôle, ils s'abouchaient avec un avocat aussi enclin qu'eux aux opérations brutales... Cela faisait beaucoup. « Des coupables comme je les aime », se dit Pharand en s'incitant sans conviction à un scepticisme bien théorique.

Le stylo lui tombait des mains quand, d'Aimé Gendron, il passait à sa fille. Présumer, comme il venait de le faire, qu'Aimé Gendron avait été tué, cela, certes, colorait la perception. On affrontait le meurtre et il avait trop d'expérience pour en sous-estimer la force de propagation. Qui a tué peut tuer encore. Le meurtre se banalise du seul fait de sa perpétration. Le mobile assez moteur pour conduire au meurtre n'a nul besoin de transfusion d'appoint pour provoquer un nouvel assassinat. « Clichés! se dit-il pourtant. On pourrait aligner une liste aussi longue de rengaines contraires. À part les tueurs en série et les gâchettes à gages, rares sont les meurtriers qui récidivent. Tuer sa femme ne pousse pas à massacrer toutes les femmes... Damné balancier! »

Partant du pari qu'il venait de faire sur le meurtre d'Aimé Gendron, il reprit sa réflexion sur la mort de Gisèle Gendron. Le mot *voyage* s'inscrivit à la marge sur la *tablette à synthèse*. « Et maintenant les réponses », marmonna Pharand.

Il revint aux messages retenus par le répondeur du fils Gendron. Le policier rejoignit sans difficulté Stéphane-André Désilets, l'un des promoteurs qui courtisaient le fils Gendron. « L'avantage de ces doubles prénoms, se dit Pharand, c'est qu'ils signalent la génération du détenteur. Au temps des Paul, Pierre et Jacques, 30 ans ou 60, c'était la même chose... Stéphane-André, ça trahit le nombril encore humide. » Malgré cette lueur sur l'âge du promoteur, il ne sut comment lire la réaction mi-chair, mi-poisson de l'individu. Un dialogue avec un enquêteur connu du public ne l'enthousiasmait ni ne le terrorisait.

« Que puis-je pour vous, monsieur Pharand? »

Ni énervement ni cabotinage du type « je ne vois pas pourquoi la police s'intéresserait à mon entreprise ».

« J'aimerais vous entendre au sujet du projet que vous avez en commun avec monsieur Simon Gendron.

— Qui a dit que j'avais un projet avec Simon Gendron?

— Vous-même, monsieur Désilets. Dans le message que vous avez laissé sur le répondeur de monsieur Gendron.

— Vous nous avez espionné?

— Nous avons perquisitionné chez monsieur Gendron et je suis en train de faire l'inventaire de ce que nous avons saisi. C'est là que vous apparaissez. Alors, ce projet?

— Il n'y a encore rien de précis. Il m'a dit qu'il avait le goût d'investir et je lui ai offert mes services.

— Est-ce que vos services s'étendent jusqu'à l'Amérique du Sud, monsieur Désilets?

— Qu'est-ce que vient faire l'Amérique du Sud là-dedans? »

Il avait répondu trop vite. L'Amérique du Sud ne signifiait rien pour lui.

« Avez-vous déjà rencontré la sœur de Simon Gendron, madame Gisèle Gendron?

— Mon père, qui a fondé notre entreprise, a eu des relations d'affaires avec Aimé Gendron et je sais que Simon et Gisèle sont ses enfants.

— La question était: avez-vous déjà rencontré madame Gisèle Gendron?

— Non. Je lui ai parlé une fois au téléphone, c'est tout.

— Récemment? »

Désilets avait ralenti son débit. Avait-on enregistré aussi sa conversation avec Gisèle Gendron?

« Il y a quelques jours. Son frère m'avait demandé de lui parler pour la sensibiliser à notre projet.

— La sensibiliser à un projet qui était imprécis il y a quelques minutes, monsieur Désilets?

— Ne coupez pas les cheveux en quatre, monsieur Pharand. Simon Gendron voit des possibilités de développement immobilier et hôtelier en Amérique du Sud et il voulait que je sensibilise sa sœur à ce potentiel. C'est tout.

— Vous connaissez bien la région, monsieur Désilets?

– Pas encore. Nous allons faire des études de faisabilité.

– Savez-vous si Simon Gendron préférait un hôtel ou un jardin zoologique? fit Pharand devenu goguenard.

– Toutes les options demeurent ouvertes.

– Vous avait-il chargé d'établir des contacts avec des partenaires sud-américains, monsieur Désilets?

– Notre entreprise est ouverte à tous les partenariats. »

Pharand détestait discuter avec une barrière métallique. Il interrompit la conversation avant que son impatience plagie le volcan mécontent. Il avait subi assez de sottises pour esquisser un portrait sans attrait du malléable partenaire de Gendron fils. Il avait cependant obtenu plusieurs des éclaircissements recherchés. Gisèle Gendron entrait à reculons dans les projets de son frère. Celui-ci lui avait vanté Iguaçu et son achalandage touristique. Motif peut-être plus lourd que le besoin d'agonir d'injures le banquier de Posadas. Il remit à plus tard l'appel à l'autre promoteur inscrit dans la mémoire du répondeur.

Ses questions au caméléon Désilets avaient fait lever une volée de doutes. Le maquis de Carlotta avait plusieurs raisons de liquider Gisèle Gendron. S'il avait commis le meurtre, il ne laisserait pas inachevé ce déblaiement. L'autre héritier risquait le même sort. D'autre part, le policier, lui, n'avait nul besoin d'études de faisabilité pour prévoir la réaction des cercles locaux et régionaux en voyant s'amener des millions étrangers. Pour eux, une alternative : concurrent ou partenaire?

Pharand baignait dans le scepticisme quant à l'autopsie pratiquée à Posadas. « Ils ne veulent surtout pas de problèmes. » Mieux valait blâmer les souliers inadaptés qu'envisager un meurtre. Marceau aurait peut-être des informations fraîches à ce sujet.

Chapitre 27

Carlotta remplissait bellement sa toute neuve peau de militante. Purgée du défaitisme, lavée de tout sentiment ressemblant à la résignation, elle se rebiffait désormais contre la jeune génération Gendron et revendiquait pour la fondation de vraies assises économiques. Effet miraculeux de l'entrée en scène de l'avocat Jobidon? Qu'il y soit pour quelque chose, Pharand n'en doutait pas, mais il y avait autre chose. D'ailleurs, l'avocat ne tenait ni du matamore ni du guide spirituel. Solidement charpenté, net et sensé, racé sans snobisme, il présentait des argumentations à sa ressemblance. Il ne réclamait pas l'impossible, mais l'équitable, et il l'obtenait. Le prudent procureur, sans toujours tomber d'accord avec lui, le respectait.

Annoncée par la réceptionniste de la centrale de police, Carlotta, fière de se guider seule jusqu'au bureau de Pharand, avait surgi devant lui. Ses vêtements aux couleurs ardentes tranchaient sur le métal des uniformes policiers, mais le changement majeur se lisait ailleurs : sur son visage. Plus rien de la *mater dolorosa*. Rien non plus de l'immigrante mal initiée aux rapports de force, mais une assurance sereine qui répandait la joie de vivre. Et, toujours, une beauté à faire siffler les vicaires.

« Monsieur Jobidon m'a dit que je pouvais me rendre à Encarnación, mais il tenait à ce que je vous en avise. »

La phrase par laquelle Carlotta ouvrait la conversation reflétait Jobidon en haute-fidélité. « J'exerce mon droit et je prends mes précautions. Mes positions sont claires.

— Merci de m'avertir, madame Alvarez. Pourriez-vous m'expédier un courriel quand vous serez à destination? »

Dans leurs échanges loin des oreilles indiscrètes, les deux policiers référaient si souvent à Carlotta que le « madame Alvarez » avait tardé à surgir dans la bouche de Pharand. Tant mieux si l'instant d'hésitation avait échappé à l'attention. Tant mieux aussi si Carlotta - le prénom revenait! - se méprenait sur la demande du policier. On mourait ou on tuait si aisément autour de cette fondation que le policier n'aimait ni les retrouvailles de la jeune Guaranie avec son réseau ni sa présence en des lieux malsains. De même que la fille Gendron dissimulait plusieurs motifs dans un même voyage, peut-être Carlotta assumerait-elle diverses responsabilités une fois parmi les siens, y compris les moins avouables. À surveiller.

« D'après votre voix, poursuivit Pharand, votre voyage a changé d'objectif... »

Elle ne lui avait pas donné souvent l'occasion d'entendre son rire. Contenu et pourtant plein de clochettes, il disait la liberté. Elle s'était assise face au pupitre de Pharand, le dos confié à la chaise que la masse de Marceau avait cent fois mise à l'épreuve.

« J'y allais pour tout arrêter et peut-être pour rester là-bas. Là, je veux voir si mes amis veulent encore travailler.

— Avez-vous renoncé à rester là-bas?

— Je ne sais pas. Ça dépendra de ce que monsieur Jobidon appelle la phase 2. »

Dans la phase 1, expliqua-t-elle, l'avocat avait clarifié les droits de la fondation. Il avait établi, à la satisfaction du tribunal, qu'Aimé Gendron jouissait de sa lucidité lors des premiers financements de la fondation. Ni les enfants Gendron ni leur avocat n'avaient pu retarder la décision. Ils en appelaient de l'arrêt, mais, en attendant le verdict final, les projets de la fondation retrouvaient leur rythme. La phase 2, ce serait la contestation du jugement rendu au sujet de l'inaptitude d'Aimé Gendron.

« J'ai une double question pour vous, madame Alvarez. Vous n'êtes pas obligée d'y répondre. Savez-vous où est présentement Simon Gendron? Et savez-vous s'il est entré en contact avec quelqu'un de votre réseau? »

L'arrivée inopinée de Marceau mit la question sur la touche. « Tant pis, se dit Pharand, si ça lui donne le temps de voir venir mes questions. »

« Vous connaissez ce monsieur, madame Alvarez. Avez-vous objection à ce qu'il se joigne à nous? »

Non seulement les objections faisaient défaut, mais les prénoms bousculèrent les protocoles.

«Je demandais à madame Alvarez si elle sait où se trouve Simon Gendron présentement et s'il a pris contact avec quelqu'un de son réseau.

– D'ac, fit Marceau, et les réponses?

– Le fils de monsieur Gendron est en Argentine et il circule entre Posadas et la région d'Iguaçu.

– Sans franchir la frontière brésilienne?»

Sans s'expliquer la stipulation, Pharand se souvenait que l'avocat Letarte avait insisté là-dessus.

«Non, il n'est pas allé au Brésil, ni cette semaine ni avant.»

Elle faisait référence à la frontière du Paraguay avec le Brésil et négligeait celle qui sépare l'Argentine du Paraguay. À en juger par la circulation entre Asunción et Posadas, elle avait sans doute raison. Marceau, fébrile, brûla une étape.

«La deuxième réponse, qu'est-ce que c'est? Je ne savais rien des contacts entre le fils Gendron et votre groupe!»

Grâce à la précipitation de Marceau, elle différa sa réaction.

«Je ne sais pas non plus pourquoi monsieur Pharand pose cette question, fit-elle lentement.

– Je peux vous l'expliquer, répondait Pharand en voyant durer l'hésitation, mais êtes-vous prête à répondre?

– Oui, le fils de monsieur Gendron est allé voir mon responsable à Posadas. À votre tour, monsieur Pharand.»

Elle souriait, mais ce n'était plus l'hésitante jeune femme. Marceau, qui s'était vite pardonné son court-circuit, appréciait le changement avec un sourire moqueur.

« Je creuse une hypothèse, madame Alvarez. Une chose est claire, les enfants Gendron s'intéressent à la région d'Iguaçu. Ce qu'ils veulent y faire, je ne le sais pas encore, mais la fondation pourrait leur offrir des raccourcis. Elle est déjà installée, elle fait partie du décor et, jusqu'à l'intervention de votre avocat, ils pensaient pouvoir la contrôler. Ce serait plus rapide...

– Ce que vous dites correspond à mes doutes à moi, monsieur Pharand. Quand mon copain a vu arriver le fils de monsieur Gendron, il ne comprenait pas son grand sourire! Madame Gendron fait une colère à notre banquier et son frère nous fait des gentillesses!

– Quand est-il allé voir votre copain?

– Hier. Et il a téléphoné le soir pour dire qu'il revenait. J'ai demandé à mon copain de le retarder jusqu'à mon arrivée. Faut-il lui dire que vous voulez lui parler?

– Non, ne faites pas ça, répondit Pharand. Ce n'est pas votre rôle de faire nos commissions. En plus, compléta-t-il après une pause pesante, cela peut devenir dangereux. »

Ce ne fut pas elle, mais Marceau, décidément à sec de patience, qui sursauta. Pourquoi dangereux?

« Madame Alvarez me comprend, dit Pharand un peu sèchement. Il y a chez elle des gens susceptibles et peu patients. Votre réseau, poursuivit Pharand, c'est déjà une façon de voir venir les coups, non? »

Elle acquiesça, en profitant pour taire ses pensées.

« Faites un bon voyage et soyez prudente. »

Elle fila d'un pas dansant. Pharand la regarda aller avec un tel sentiment d'ambivalence que Marceau y réagit.

« Tu avais le style mère poule à force de lui conseiller la prudence. Voulais-tu l'affoler?

– Je ne sais pas. »

Voyait-il partir sans protection la prochaine cible d'intérêts criminels? Laissait-il échapper à son contrôle une militante *prête à beaucoup* pour protéger et reconquérir ses ressources financières? Marceau partageait ce doute.

« Vas-tu refaire ton tableau avec d'autres limites? Carlotta a quand même récupéré un petit million ou deux. Moi, je m'arrêterais. Peut-être que Gendron junior leur offre un marché dans le genre "je te laisse les deux ou trois millions de la fondation et tu laisses tomber tes simagrées au sujet du testament de mon vieux"? Ta grande tablette à schémas changerait de style. Elle cesserait de crier au loup. Ni Carlotta ni Gendron fils ne seraient en danger de mort. Les mobiles s'éteindraient chez le petit Gendron vorace et dans le réseau de Carlotta. N'oublie pas, en plus, que la part de la Gisèle doit revenir à son frère. Il a de quoi se calmer confortablement! Moi, je gage que notre série de morts s'arrêtera à deux. Tu n'as pas l'air de me suivre?

– Je te suis et je ne te trouve pas complètement fou.

– Génial enquêteur Pharand trop gentil pour humble collaborateur!

– Non, sérieusement, tu as raison de corriger mon schéma. Un pacte de non-agression entre le club de Carlotta et le fils unique de Gendron calmerait tout le monde. Ça ne règle pas nos deux décès. Et puis, c'est peu probable.

– Hum, hum.

– En plus, dans ce fouillis-là, tu as des acteurs auxquels on ne pensait pas. Tu te souviens, Carlotta passait son temps à se reprocher ses promesses et ses imprudences. Aujourd'hui, fini, elle n'en parle plus. Comme si elle ne redoutait plus la frustration de son réseau. Le fils Gendron, c'est peut-être le contraire. Il s'est avancé le cou, il a marché sur de gros orteils en pensant qu'il jouait au Monopoly, puis, tout à coup, le tapis glisse sous ses pieds. Moi, j'aime bien l'expression de triangle pourri. Si fiston Gendron a joué au-dessus de sa tête, il y a sûrement des truands mécontents et le triangle peut devenir malsain. Carlotta n'a peut-être pas fait les plus grosses promesses.

– Ton schéma non plus n'est pas complètement fou, André...

– Et compte les fois, ajouta Pharand en laissant flotter le compliment piégé, où on a conseillé de ne pas franchir la frontière brésilienne.

– Comme si les terrains de jeux avaient déjà été répartis?

– Quelque chose dans ce genre-là.»

Marceau ne contestait plus, mais il haussait les épaules. La haute voltige ne l'enthousiasmait pas.

Il n'était pas devenu policier pour noircir des tablettes à synthèse et à schémas.

«Tu sais, André, la sociologie des pays que je ne connais pas, ce n'est pas ma poutine préférée. Le décès du père Gendron, ça m'intéresse. La mort de la fille Gendron, ça m'intéresse aussi, même si je ne serai jamais président de la société d'admiration des piranhas. Revoir Robert de Niro et *Mission* et passer deux ou trois heures sur Internet pour savoir la couleur des Guaranis, ça va encore. Mais gager sur la finale entre le club de Carlotta et le triangle pourri, ça ne nourrit pas ma libido. Est-ce qu'on peut revenir au vrai pointage? Le score, c'est deux à zéro pour le crime, deux morts, zéro solution, truands deux, flics zéro.

— Et Carlotta? Est-ce que ta libido en tient compte?

— Damné André! C'est vrai que je plains l'animal qui va lui faire du tort, mais je suis capable de respirer par le nez. Une belle Guaranie traitée comme une bonniche par des enfants gâtés, ça me faisait bouillir et j'avais raison de bouillir. Mais on a découvert qu'elle anime un réseau de militants aux grandes oreilles et tu lui as dégoté un avocat capable de mordre. Ce n'est plus la même chose!

— Et ce n'est plus la même femme, renchérit Pharand. Mais ça ne veut pas dire qu'elle n'est pas en danger. Et même si le fils Gendron est un beau dégueulasse, je ne veux pas me retrouver avec son cadavre sur les bras. Ni elle ni lui.»

Le trop-plein de Marceau, Pharand l'avait redouté. Depuis des années, instruit par ses vingt-cinq ans de métier, le policier vieillissant voyait se renforcer l'aptitude du crime à exploiter les lenteurs et les silences de la loi. « La nature déteste le vide, se disait-il. Le crime aussi. » Sans racines, sans loyauté à quelque sol ou collectivité que ce soit, le criminel trouve les raccourcis, les raccords, les connivences bien avant que s'ajustent les bureaucraties et les appareils policiers ou judiciaires. S'il voit le crime selon le filtre candide de son noviciat et s'il ne reçoit pas un recyclage constant, le policier est vite déphasé face aux conglomérats criminels qui enjambent les frontières nationales et batifolent dans la mondialisation comme s'ils l'avaient commanditée. Pharand ne se considérait certes pas comme un intellectuel et le dédain de Marceau à propos de la sociologie des pays lointains faisait résonner quelque chose en lui. En revanche, il acceptait mal que le travail policier s'englue dans les conflits de juridiction et les cloisonnements nationaux, alors que le profit criminel crée un lien universel entre les fripouilles. Il ne pouvait blâmer Marceau, il ne pouvait pas non plus réagir comme si les policiers québécois n'avaient pas à retracer et à harponner même les plus nomades de leurs criminels.

« On reprendra ça un jour de grande tranquillité! Ce que tu dis prouve que toi et moi, on doit retourner sur le plancher des vaches et tout vérifier. Et vite!

– Pourquoi? Tu es sûr qu'on aura d'autres décès?

– Je ne les prédis pas, je les redoute. Mais

laisse faire ça et écoute-moi une seconde. Je connais à peine l'avocat Jobidon. Philippon, notre prudent procureur, le décrit comme un gars correct. Ce bonhomme-là entre dans le décor et, vlan!, Carlotta retrouve son instinct batailleur, le cher Letarte regarde s'en aller le contrôle de la fondation et le fils Gendron s'en va dans le Sud fumer le calumet de paix malgré notre perquisition. Jobidon a dû mettre le doigt sur quelque chose qu'on a raté!

— Jobidon ne t'a rien appris, André! Laisse-moi tranquille. Tu m'as toi-même parlé des dates je ne sais pas combien de fois. Tu as commencé en sortant de chez le notaire. Jobidon a mis un calendrier sous le nez du juge, c'est tout.

— Moi aussi, je me suis mis le nez dans les dates, mais je n'ai pas fini le travail. Jobidon prend un calendrier et il prouve que Gendron n'était pas fou quand il a dorloté sa fondation. Admets qu'on a l'air idiot.

— Là, tu charries, André. Il faudrait que tu décides dans quel métier tu vis. Le notaire te l'a dit: pour interpréter le calendrier, ça prend un juge. Le juge a tranché. C'est ça qu'un policier comme toi ne peut pas faire. Quand lui dit que telle date veut dire ceci, ça vient de s'éteindre. Si tu dis la même chose, on t'obstine. Comprends-tu la différence? Jobidon a frappé le bon juge au bon moment, c'est tout. Ça finit là. Ça a donné du toupet à Carlotta et ça en a enlevé à Letarte, mais tu es policier, pas juge. Tu n'as pas sauté une coche, mais, toi, tu n'as pas une toge de juge.

Relaxe! À chacun son métier. On en gagnera d'autres... »

Pharand encaissa la mise en échec. Au fond de lui-même, oui, il admettait les limites de son rôle et les risques de la dispersion. Deux décès équivoques, voilà ce qui le concernait. Pourtant, la prévention aussi faisait partie de son métier. Ne pas bouger pendant que se dessine un troisième meurtre, cela le mettait en rogne.

« Non, celle-là aussi on va la gagner. On repart de zéro et on vérifie tout. Tout.

— Tu charries encore un peu, mais tu me fais quand même plaisir. J'aime l'idée : compteur à zéro. Mais je t'avertis : tant pis pour ta tablette, je ne serai jamais un pousseux de crayon. »

Chapitre 28

La liste des oublis, longue à déprimer un jovialiste, épuisait la patience autant que l'épuçage d'un *shaggy dog*. Elle imposait aux policiers des vérifications qu'ils rougissaient d'avoir enjambées. Le plus humiliant, c'était peut-être qu'ils avaient tenu leur défaite pour acquise. Ils avaient présumé que la cause des enfants Gendron tenait du roc de Gibraltar, que le testament et ses suites, fondation comprise, ne laissaient prise à aucune contestation et que la croisade de Carlotta rejoindrait au cimetière les autres rêves guaranis. L'incinération brusquée avait agi sur eux comme une pluie verglaçante. Cela avait faussé le reste de l'enquête. Que Carlotta, dégriffée par son statut d'étrangère, ait vainement cherché ses marques au Québec, rien de scandaleux, mais quelle excuse avaient-ils à offrir, eux? Pharand, sans l'avouer à son collègue, se rappelait le commentaire de Pierrette: « S'ils éliminent Gendron, leur thèse n'est peut-être pas si étanche... » Jobidon avait entendu Pierrette.

« Moi, poursuivit Pharand dont le stylo zébrait quand même la tablette à synthèse, j'en dois une au PhD. Ce qu'on apprend sur Aimé Gendron contredit sottise par sottise le portrait qu'a craché le savant psychologue. Au lieu de le croire, j'aurais dû brasser son curriculum, poser des questions à ceux qui l'ont diplômé et au syndic de l'ordre, voir s'il a témoigné souvent en cour et en faveur de qui... Tu vois le genre! Est-ce qu'il a réussi souvent à éviter que le tribunal examine ses preuves? J'aurais dû chercher l'ombre du commencement du début d'une éventuelle réprimande de l'ordre.

– Tu en oublies encore une, André. Si tu recommences à en sauter des bouts, on n'est pas sortis du bois. »

Regard interrogatif de Pharand et triomphe de Marceau.

« Facile, facile. On a les relevés comptables des enfants Gendron. Tu regardes et tu trouves le montant du chèque versé à ton copain psychologue...

– Décidément, Jean-Jacques, tu me fréquentes depuis si longtemps que ton génie commence à percer! Excellent!

– Tu dois avoir le goût de mettre Jobidon sur la piste, fit Marceau, sarcastique. S'il conteste la mise sous tutelle, un beau gros chèque juteux encaissé par le PhD, ça lui met un bazooka dans les mains. »

Pharand aimait l'idée. Il choisit pourtant la réserve.

« J'aimerais qu'il y pense de lui-même. Jusqu'à maintenant il est plus brillant que moi. Il peut poser la question à au moins trois personnes : le PhD et les deux enfants Gendron. Question simple : combien? Le PhD peut raconter des blagues, mais les deux autres n'ont pas de jeu : nous avons accès à leurs livres. Si le psy ment, Jobidon va l'attendre dans le détour. Splendide, Jean-Jacques. Ça ne change pas le pointage de deux à zéro, mais ça encourage.»

La fièvre de la traque les reprenait, l'un stimulant l'autre. La sociologie s'était discrètement retirée au placard.

«Pourquoi, reprit Pharand en pointant vers son collègue un stylo menaçant, Aimé Gendron a-t-il été autorisé à demeurer dans un appartement?

— Peut-être que les enfants n'ont pas voulu avoir l'air de sadiques. Il n'était pas dangereux et ils avaient le contrôle de son argent. Qu'est-ce que ça aurait donné de l'enfermer dans une institution?»

Puis, au lieu de se repentir, Marceau punit le pupitre d'une baffe retentissante. Quelques têtes se tournèrent que Marceau calma à distance en levant les mains.

«Bordel, tu as raison! S'ils l'avaient expédié à Robert-Giffard, ils n'auraient pas pu lui jouer dans les cheveux. Contrôle ici, visite médicale là, la curatelle ou je ne sais pas quoi, un asile ne les aurait pas laissés jouer dans la pharmacie. Parquer le vieux dans un bloc à eux, c'était un risque à courir, parce que le père Gendron pouvait toujours aller se plaindre quelque part, mais ils avaient de quoi le discréditer comme un taré. Qu'il aille s'acheter un journal, ça ne leur faisait pas mal. Des beaux salopards...

— Je crois me souvenir que le PhD a fait une recommandation à ce sujet. S'il l'a fait, c'est forcément à la demande des enfants et il a dû se couvrir. Je vérifie. Toi, tu fais le tour du quartier où on l'a installé. Les dépanneurs, le bureau de poste, les cinémas, on ne sait jamais. Il a pu parler à quelqu'un. Et les voisins ont dû voir circuler l'infirmière et le médecin. Ramasse le placotage.

– Ça, c'est de la vraie sociologie, fit Marceau, pince-sans-rire. Quand je pense à notre sympathique infirmière, je me dis qu'on aurait pu profiter du mandat de perquisition pour enregistrer ses conversations ou ses courriels, mais toi et le prudent procureur, vous n'aimez pas chatouiller les ordres professionnels...

– Ce sont des gens susceptibles. En plus, ils font peur aux politiciens. Et les juges sont des professionnels, eux aussi. Alors... Ça ne veut pas dire qu'on ne peut pas la coincer. As-tu fait le tour des hôpitaux pour vérifier les séances de vaccination?

– Le plus gros est fait. Notre pharmacienne avait raison : il y a seulement quelques hôpitaux qui donnent ce service. Dans un cas, ils fonctionnent avec des rendez-vous. Aucune trace de Gisèle Gendron. Dans l'autre, tu te rends à la séance de vaccination et tu attends ton tour. Les registres sont longs à consulter, mais elle n'y est pas. Je te répète ce que notre pharmacienne a dit, parce que c'est elle qui a fait le travail. Mais pourquoi te tracasser pour un vaccin?

– Le vaccin, je m'en moque. Ce que je veux, ce sont les projets de voyage de Gisèle Gendron. S'il y a eu un vaccin, cela démontre son intention d'aller ailleurs qu'en Argentine. Et si son voyage exigeait le vaccin, ou bien elle l'a reçu d'avance ou bien quelqu'un lui a rendu service.

– Alors? Tu y as sûrement pensé, la charmante

infirmière Doiron a pu rendre un service à Gisèle Gendron?

— Oui, j'y ai pensé. J'ai d'abord vérifié sur Internet si un vaccin était nécessaire. Non, les voyageurs canadiens qui se rendent en Argentine n'ont pas besoin de vaccin, ni d'ailleurs de visa, à moins qu'ils fassent un détour par un bled à haut risque. Le Paraguay, c'est plus complexe un peu. Une escale à Asunción, ça peut aller, mais il ne faut pas trop s'aventurer dans les zones à risque, sinon l'exigence peut changer.

— Oups! Un instant, André. Rappelle-toi. Notre piranha femelle est allé engueuler un banquier à Encarnación. C'est au Paraguay, ça. L'itinéraire de la fille Gendron est aussi tordu qu'elle. D'après moi, il fallait un vaccin. »

Il fit une pause.

« Et pour le vaccin, il fallait une gentille infirmière. Je reprends ton cours de Logique 101. Premièrement, le vaccin est utile seulement si madame vagabonde dans des zones à risque hors de l'Argentine. Deuxièmement, comme on a la preuve des vagabondages, le vaccin est nécessaire. Troisièmement, si le vaccin nécessaire n'a pas été administré dans les services spécialisés, une certaine infirmière peut être dans le coup. L'élève Jean-Jacques passe-t-il l'examen?

— Quatrièmement, enchaîna Pharand à la surprise de Marceau, l'autopsie ne trouve dans le corps de Gisèle Gendron aucun produit étrange.

— Es-tu en train de me dire que l'infirmière a fait semblant de donner le vaccin? »

Pharand répondit à la remarque de façon oblique.

«Le fils Gendron va se rouler par terre s'il a réussi à nous passer une autre incinération prématurée.

– Tu m'avais dit qu'avec une autopsie, l'incinération ne te tracassait pas. Tu as des doutes?

– Je dirais ça plus poliment à l'ambassadeur d'Argentine à Ottawa, mais oui, j'ai des doutes. Ce qu'on a reçu du médecin légiste de Posadas, c'est plein de trous. Tu lis le rapport et tu n'en sais pas plus. Elle a reçu un coup sur la tête, mais ça ne veut rien dire. Il regarde un soulier et il conclut qu'elle est morte à cause de son imprudence. Ça et rien, c'est pareil. Et le fils Gendron identifie sa sœur et autorise l'incinération... Est-ce que ça te donne des idées?»

Marceau étendit les bras dans toute leur envergure comme pour accueillir la brassée suivante d'hypothèses.

«Pas trop vite, fit Pharand. Il manque encore un ou deux préalables.

– Préalables?

– Le premier, c'est la relation entre la fille Gendron et l'infirmière. Est-ce que Chantal Doiron connaissait Gisèle Gendron? Probablement, mais pas sûr. Si les deux femmes ne se connaissent pas, notre Logique 101 tombe à l'eau. Et l'autopsie de Posadas n'a pas vu la trace d'un vaccin.

– Même technique qu'avec Gendron senior, commenta Marceau sur un ton mi-lugubre, mi-rageur. Quand le corps part en fumée, impossible de dire ce qu'on lui a donné...»

Changeant de ton, Pharand enchaîna:

« Deuxième préalable : fais-toi raconter la vie de Chantal Doiron. C'est peut-être vrai que la pratique privée, c'est payant, mais est-ce elle qui a choisi cette pratique?

— Encore un ordre professionnel! Aussi drôle que négocier avec un paratonnerre. Est-ce que je peux faire des détours au lieu de faire rire de moi par un syndic sourd et muet? »

Pharand ignorait à quels détours songeait Marceau et cette ignorance lui convenait fort bien. Ce qu'il voulait, ce n'était pas un C.V. passe-partout et cachottier, mais un coup d'œil sur les fautes professionnelles, les reproches de clients, les réprimandes... Tout ce qui *attendrirait* la dame comme on attendrit une escalope.

« Est-ce qu'on part du principe que la fille Gendron est partie en voyage à la demande de son frère?

— Peut-être, fit Pharand. Peut-être.

— Comment ça, peut-être? Tu as écouté le répondeur : il lui dit d'aller dans tel coin. "Tu vas voir que j'ai raison".

— Il y a d'autres possibilités. Ton piranha femelle décide d'aller crêper le chignon d'un banquier et, si possible, de l'intimider. Son frère, qui a une salade à vendre, lui dit : "Profites-en pour évaluer le potentiel touristique." Simon vend à sa sœur un détour supplémentaire, c'est tout. Il lui rend les choses faciles en mettant ses contacts à sa disposition. Au besoin, il lui trouve un vaccin. Quand elle reviendra, les deux pourront comparer leurs impressions. »

Marceau déposa son stylo d'un air excédé. Il montrait plus de persévérance dans son jogging.

« Pour te dire le vrai, André, notre affaire ne va pas mieux. Je pensais qu'en repartant de zéro, on trouverait du neuf, mais on trouve plus de trous que de bons filons. T'es pas tanné, toi? »

Bien sûr que Pharand l'était. Pas plus, mais pas moins qu'au cours d'innombrables enquêtes qui, un jour ou l'autre, devaient tout à l'entêtement et rien aux intuitions géniales.

« Est-ce qu'on peut quand même terminer l'exercice, Jean-Jacques? On en est au voyage de Gisèle Gendron et on ne croit plus que la madame s'en va en Amérique du Sud pour le seul plaisir d'engueuler quelqu'un. D'accord? »

Il n'insista pas pour extraire un acquiescement de Marceau.

« On sait aussi que le fils insiste pour lui faire visiter une zone assez éloignée de Posadas. Le fils Gendron fait carrément une vente à sa sœur. D'accord? »

La moue acquiesçait, mais sans enthousiasme.

« Pourtant, reprit Pharand, les projets du frère sont tellement brumeux que ses pseudo-associés ne savent pas s'il s'agit de construire un motel ou de créer une université. Ça ne te rend pas un peu sceptique? »

Marceau n'en était pas à l'enthousiasme, mais son regard s'était rallumé.

« Est-ce qu'il a besoin de la signature de sa sœur pour engouffrer plus que sa moitié d'héritage dans son projet?

— Probable. On n'a pas encore vérifié comment l'héritage est partagé entre les deux et ça, c'est plus qu'une distraction.

— Une autre corvée. Tu te demandes, en vieux vicieux, si les charmants enfants se contentent chacun d'une moitié de l'héritage, c'est ça?

— Je ne vois pas de vice là-dedans. Après tout, les charmants enfants ne voulaient pas garder leur père en vie... Pourquoi pas un beau combat entre frérot et sœurette? »

Non, Marceau n'était pas scandalisé par l'hypothèse. Les piranhas, il en soupçonnait les mœurs.

« Il ne faut quand même pas brûler les étapes, dit-il. Je ne dis pas que ces deux-là ont des scrupules, mais, tout ce qu'on sait jusqu'à maintenant, c'est que le frère essaie de convaincre sa sœur de mettre ses billes dans son projet. Et encore là, tu ne peux pas prouver que le frère a des intentions perfides. S'ils investissent ensemble en Argentine, ils peuvent devenir encore plus riches tous les deux et Gisèle dira merci à son grand frère!

— Simon en grand frère généreux et Gisèle en petite sœur reconnaissante? Tu en fumes du bon, mon Jean-Jacques!

— O.K., ça ressemble à du Blanche-Neige, mais je te répète qu'on n'a rien, sauf un bonhomme qui bouscule sa sœur pour qu'elle aille vérifier son projet. Et il lui rend le voyage facile. Quelqu'un va lui tenir la main et lui traduire l'espagnol d'un bout à l'autre du voyage.

– C'est à mon tour d'avoir un os, Jean-Jacques. »

Marceau attendit avec un intérêt désormais ranimé.

« C'est du vent que le dénommé Simon vend à sa sœur. »

Chapitre 29

Monsieur André Pharand,

Monsieur Jean-Jacques Marceau,

Comme promis, voici un courriel pour vous dire où je suis. Je ne vous ai pas écrit plus tôt, parce que nous recevons sans arrêt des demandes et des pressions de monsieur Simon Gendron. Je m'étais rendue à Posadas parce que c'est là que la fondation avait sa base jusqu'à maintenant et parce que c'est là que monsieur Simon Gendron avait annoncé qu'il se rendait. Après avoir discuté avec lui, j'ai pris le traversier et je suis maintenant à Encarnación, au Paraguay, là où nous allons essayer de regrouper nos activités. Les choses changent au Paraguay depuis que les soldats américains sont arrivés.

Monsieur Simon Gendron ne s'attendait pas à ce que je sois là. Il n'était pas content et il me l'a dit. «J'aurais préféré ne pas vous voir, c'est trop difficile de discuter avec vous.» Mon copain lui a demandé d'être poli. Il lui a dit: «C'est elle, la patronne, et je ne déciderai jamais rien si elle n'est pas d'accord.» Tout ce temps-là, l'Argentin qui sert de pilote, de guide et d'interprète à monsieur Simon Gendron se mêlait de nos conversations. Avec ses lunettes fumées, on ne sait pas ce qu'il pense. Je n'ai pas confiance en lui, car je ne sais pas pour qui il travaille.

Le fils de monsieur Gendron n'était pas content. «Est-ce que vous allez finir vos folies bientôt?» m'a-t-il demandé. Mes folies, c'est l'embauche de maître Jobidon et la décision au sujet de la fondation. Je lui ai dit que, non, ce n'était pas fini et que nous allions réhabiliter monsieur Gendron. L'interprète est alors intervenu dans ce qui ne le regarde pas: «Réhabiliter, a-t-il demandé à monsieur Simon Gendron, est-ce que ça veut dire qu'elle veut tout l'héritage?» Le fils de monsieur Gendron n'a pas apprécié l'intervention, mais il a fini par faire signe que oui. Je ne leur ai pas dit cela, mais j'avais parlé à maître Jobidon juste avant de partir. Il a commencé les procédures pour contester la mise sous tutelle. Il a peut-être averti maître Letarte, l'avocat de monsieur Simon Gendron. Je ne suis pas sûre, mais ça ressemble à ça.

J'ai dit à Simon Gendron que nous n'avions plus rien à nous dire et que c'était à nos avocats de s'occuper de la suite. C'est à ce moment qu'il a changé de ton. Il a dit que, au lieu de nous chicaner, nous pourrions faire ensemble des choses profitables. Donnant-donnant. La fondation garderait l'argent versé par son père et je ne contesterais plus le testament et l'héritage. Quand je lui ai dit que cet échange ne nous convenait pas, il a encore changé de ton. Il nous laisserait une partie de l'héritage pour nos projets d'école et il développerait les activités touristiques avec le reste de l'argent. Personne ne saurait que le contrôle avait changé de main.

Tout cela avait l'air tellement artificiel et hypocrite que je n'ai pas demandé de détails. Ils sont repartis ensemble. J'avais l'impression que c'était l'interprète qui parlait le plus fort.

Mon copain de Posadas ne s'était pas mêlé à la conversation depuis sa première intervention. Il m'a promis d'en apprendre plus long sur l'interprète et de me transmettre l'information. Il sait déjà que le monsieur a mauvaise réputation, car la plupart de ses clients circulent surtout dans le triangle dont je vous ai parlé. Mon copain m'a dit, comme vous deux, de faire attention. Je ne suis pas peureuse, mais c'est quand même cet homme-là qui accompagnait madame Gisèle Gendron quand elle est venue. Je retourne à Québec le plus vite possible.

Chapitre 30

Par acquit de conscience, Pharand entra en contact avec le deuxième promoteur dont le répondeur de Simon avait conservé les paroles. La démarche ne brassa que du vent. Lui aussi était prêt à discuter, mais, comme le premier, il n'avait aucune notion de ce que le fils Gendron avait en tête. Une fois encore, Simon Gendron surfait sur la crédibilité dont avait joui son père dans le milieu de la construction.

« C'est vite dit, André, pas de projet. Il a certainement une image au moins approx dans la tête, une carte postale qu'il veut reproduire en palmiers ou en briques. Il en parle partout. Il pourrait se faire imprimer un dépliant bilingue : en français pour ses copains d'ici, en espagnol pour ses potes argentins. »

S'il voulait tirer Marceau de son cafard, Pharand devait maintenir la pression et même accélérer le rythme.

« Qui a présenté Chantal Doiron à Aimé Gendron?

– Les enfants Gendron. C'est ce que tu m'as dit en sortant de chez le notaire, et ton médecin a confirmé ça.

– Un des enfants ou les deux? insista Pharand.

– Qu'est-ce que ça change?

– Peut-être rien, mais peut-être tout. Si Simon connaît l'infirmière, mais que sa sœur ne l'a jamais vue, il peut faire donner à sa sœur un vaccin bidon.

– Ça lui rapporte quoi, au frère?

– C'est à nous de le trouver. Il veut peut-être la rassurer.

– Le réseau de Carlotta peut reconstituer l'itinéraire de la fille Gendron jusqu'à sa mort. Je réponds à son courriel et je le demande. À mots couverts, bien entendu.

– Et moi, je sonde les souvenirs du notaire et du médecin.»

Marceau avait à peine regagné son pupitre et demandé la connexion à Internet que sonna le téléphone de Pharand.

«Monsieur Pharand? Ici, Denis Jobidon.»

En quelques mots, l'avocat avait bien disposé l'enquêteur. Il téléphonait sans utiliser une secrétaire comme porte-étendard et il laissait au placard les titres ronflants honorant ses prestigieux diplômes...

«Ce que je fais est délicat, monsieur Pharand, mais je vous connais de réputation et votre procureur, Marcel Philippon, vous tient en grande estime. Si ma démarche vous met mal à l'aise, dites-le et je présenterai mes excuses.

– Marché conclu, monsieur Jobidon. De toute façon, soit dit sans hypothéquer l'avenir, vous avez ranimé votre cliente.

– Je vous appelle à son sujet. Je suis inquiet.»

Il n'y eut pas malentendu. Ils se préoccupaient de sécurité physique, non de l'évolution judiciaire de la cause.

« Je n'ai pas votre familiarité avec le crime, monsieur Pharand, mais deux décès aussi rapprochés que ceux d'Aimé Gendron et de sa fille, cela ne relève pas du hasard. Ai-je tort de craindre pour la vie de madame Alvarez?

– Non, je ne crois pas que vous ayez tort.

– C'est tout ce que je pouvais décemment vous demander, monsieur Pharand. Elle m'a promis d'être prudente et de revenir au plus tôt. Si vous pouviez obtenir d'elle une promesse analogue, je vous en serais reconnaissant. Ne me répondez pas. De mon côté, j'ai demandé une injonction pour limiter les activités dans les comptes du fils Gendron jusqu'à une décision judiciaire sur la santé mentale de monsieur Aimé Gendron. Cela risque d'aggraver certaines frustrations. Ma cliente était d'accord avec la procédure. L'autre partie ne l'avait pas prévue.

– Je ne vous connaissais pas, monsieur Jobidon, mais vous gagnez à être connu. À mon tour d'oser une question à laquelle vous répondrez ou non. »

Le silence accordait la permission.

« Votre contestation est-elle déjà connue à l'étranger?

– C'est possible. Comme il se doit, j'ai avisé mon confrère. Il n'y a là aucun secret d'État. Mon confrère a pu en aviser son client même si celui-ci est à l'étranger.

— Je ne veux pas amplifier vos craintes, monsieur Jobidon, mais la mauvaise humeur est pire que jamais. »

Au récit de la conversation, Marceau se mit en orbite. Le métier, routinier à l'occasion, frustrant en temps de crise, rarement perçu comme inutile, reprenait possession de lui.

« Autrement dit, en plus de toi et moi, il y en a d'autres qui rament dans le gravier. Et puis, fins comme vous êtes, toi et l'avocat, vous vous êtes parlé sans vous parler tout en vous parlant. Je sens que ça va aider... »

Il était cruel et le savait. Il ne trompait pas Pharand qui retrouvait là l'*art Marceau* de liquider sa propre peur.

« Au moins, répliqua Pharand, piqué au vif, on sort de ce que tu appelles la sociologie. La menace est réelle. Un mort ici, une morte là-bas, et Carlotta devient à peu près le seul obstacle entre un tas de fric et deux blocs d'appétits. Celui du fils Gendron et celui qu'on déterre à l'autre bout du monde. Nous ne savons même pas qui est le plus menaçant. Carlotta aussi a peur. Elle nous l'a dit, mais de là à aller se cacher, ne compte pas sur elle!

— Je vais lui écrire une autre fois, fit Marceau sans retirer ses commentaires. Je lui ai suggéré de resserrer les précautions, de ne pas se promener seule, de rester à Encarnación ou à Posadas, mais on ne peut même pas lui dire de qui se méfier. Après tout, ce n'est pas parce qu'un gars porte des lunettes fumées qu'on va demander à la CIA de le livrer par avion à la chambre de torture! Mais c'est peut-être aussi un gars frustré parce que les gringos ne livrent pas leur fric. Et les gars frustrés...

– Ce n'est pas de moi qu'il faut s'inquiéter, Jean-Jacques, mais d'elle, fit Pharand avec un sourire. Écris-lui si tu veux, mais ne lui rapporte pas l'appel de Jobidon. Si ce gars-là pourchasse le fils Gendron et Letarte, il faut que sa cliente accepte les risques. Es-tu d'accord? »

Marceau hocha la tête à plusieurs reprises.

« Tu as raison. J'ai peur pour elle et ça me fout la trouille. Je dégonfle mon adrénaline et je lui écris en laissant Jobidon dans le noir. En attendant, veux-tu un petit rapport d'étape? »

Jusqu'à maintenant, expliqua-t-il en feuilletant son carnet, personne n'avait hissé Chantal Doiron sur les autels. Les éloges n'abondaient pas. Beaucoup de ragots, une brassée de jalousie, des allusions qu'on retire, mais qui laissent des traces. Personne n'a dit: « Moi, je la connais bien! » La plupart l'avaient perdue de vue il y a des années.

« Ce ne serait pas la première à offrir ses services à un hôpital de Floride ou de Paris pendant trois ans. Une remarque sympathique comme un fil barbelé revient souvent: comment s'est-elle créé une clientèle privée aussi vite? Quand tu reviens de l'étranger, ce n'est pas facile. Il y a de la demande, mais si tu retournes à son ancien emploi, il te manque des bouts d'ancienneté. Si tu la joues en solitaire, c'est souvent long. Elle, elle part, elle revient sans rentrer dans le rang et elle roule carrosse!

– Tu l'as vue comme moi, Jean-Jacques. Elle a du style, mais pas de quoi faire saliver un étage de vieillards riches. Elle ne cultive vraiment pas le genre “mauve tendresse”.

– D’accord, mais tu as vu son appartement. Ce n’est pas la décoration ni les meubles d’une assistée sociale.

– Bon Dieu, Jean-Jacques, on est aussi crétins l’un que l’autre: on a les papiers des enfants Gendron. Les honoraires doivent apparaître là-dedans. On va fouiller comme pour le PhD. Commence la fouille. J’appelle le notaire.»

Celui-ci ne put proposer qu’un souvenir impressionniste. Une certitude morale, ce n’est encore qu’une incertitude. Le nom de Chantal Doiron provenait probablement du fils, mais il n’en jurerait pas. Même chose chez le médecin. Lui aussi était porté à privilégier le fils pour le rôle de rabatteur, mais sans plus. Pharand profita de son échange avec le médecin pour sonder une autre zone d’ombre.

«Est-il fréquent que des personnes jugées inaptes à gérer leurs affaires personnelles demeurent quand même en dehors des établissements spécialisés?

– Non, pas très fréquent. Pas assez. C’est une question de dosage. Monsieur Gendron n’inquiétait personne. Considérez ça comme une forme de *désince*. Vous savez ce que je veux dire. En vidant les établissements, on a eu tort de jeter dehors des gens qui avaient perdu toute capacité d’autonomie. Ce n’était pas le cas pour monsieur Gendron. Si les héritiers payaient l’appartement, s’ils lui laissaient de l’argent de poche et s’ils assuraient une surveillance, je ne vois pas ce qu’on peut leur reprocher.

– Est-ce que madame Doiron, son infirmière, assumait plus de responsabilités qu'une infirmière occasionnelle?

– Peut-être. Elle a certainement de la poigne. Elle est rassurante. Elle sécurise ses patients.

– Monsieur Gendron s'est rendu récemment en Amérique du Sud à plusieurs reprises à cause de sa fondation. Avez-vous eu à lui procurer des vaccins particuliers?

– Non, je ne me suis pas mêlé de ça. D'ailleurs, madame Doiron a plus d'expérience que moi dans ce domaine. Elle a vécu plusieurs années dans des pays peu sécuritaires.»

Pharand remercia et résista à la tentation de demander les noms de ces pays. Pourquoi manifester un intérêt dont les échos pouvaient parvenir à l'infirmière? L'intérêt était pourtant vif et il lui tardait de refiler à Marceau le genre de trouvaille dont ils avaient tous deux grand besoin. «Le bon docteur a raison: Gendron ne constituait pas une menace. On lui reprochait seulement de compromettre sa fortune. Le problème réglé, on lui accorde une certaine liberté. Le système public s'en trouve délesté et, se dit-il plus méchamment, un certain nombre de professionnels de la santé augmentent leurs revenus sans trop alourdir leurs responsabilités.»

«Des pays peu sécuritaires... C'est bien dit!»

Marceau ronronnait. Dans quelques minutes, il nierait sincèrement avoir traversé une zone d'abattement. Il détenait assez de réponses pour oser les questions. La comptabilité des enfants Gendron, sans jamais atteindre à la fidélité ou à la transparence, tant l'argent liquide brouillait les pistes, révélait l'ampleur des sommes remises à l'infirmière. Englobant et flou, le poste consacré à l'infirmière de la dépense en fauchait large: «Soins divers et accompagnement.» Un naïf aurait pu y lire un réel souci professionnel, mais ni Pharand ni Marceau n'appartenaient à cette populeuse confrérie.

«Quatre ou cinq clients comme ça, dit Marceau, et elle s'achète le genre de moquettes où tu perds tes souliers. Je comprends pourquoi elle t'a demandé si tu travaillais pour le Revenu; ils doivent lui poser des questions.

– L'avantage, ajouta Pharand, c'est qu'elle ne peut pas plaider ignorance. Si Aimé Gendron a rapporté un virus et qu'il a été victime à cause de ça d'une collision entre deux médicaments, elle ne peut pas jouer à la naïve. Et si c'est elle qui a vacciné la fille Gendron, même chose: elle savait ce qu'exige chaque pays.»

De là à convertir Chantal Doiron en empoisonneuse, la marge était large. À moins que...

«Est-ce que les patients de Chantal Doiron ont tendance à mourir sans avertissement?»

La formulation venait de Marceau, elle aurait pu appartenir à Pharand.

«D'après ce que j'ai compris du médecin traitant d'Aimé Gendron, elle ne met pas tous ses œufs dans le même panier. Elle reçoit un client d'un médecin et le suivant d'un autre médecin. Si le client du médecin numéro 1 monte au ciel prématurément, le médecin numéro 2 n'en sait rien et personne ne s'inquiète. Ça lui laisse une bonne marge. Elle peut aussi recevoir des petits cadeaux, en plus des honoraires, du vivant d'un client rassuré. Elle peut faire un placement à long terme et même se faire coucher sur le testament d'un vieil impotent.

– Il me semble que je serais bon en infirmier, fit Marceau d'un air faussement songeur.

– Je te signale que les femmes vivent plus vieilles que les hommes. Tu aurais plus longtemps à attendre... »

Chapitre 31

Le lendemain, à leur face-à-face presque statutaire de la jeune matinée, deux courriels en provenance de l'Amérique du Sud attendaient Pharand et Marceau. Dans un cas, la police de Posadas répondait au courriel expédié par Pharand la veille avec l'aide de Réjean Lemay. Dans l'autre cas, Carlotta, depuis Encarnación, réagissait à la mise en garde signée Marceau.

Marceau n'avait pas avisé Carlotta de l'inquiétude de Jobidon. On percevait pourtant, à lire la prose appliquée et un peu verbeuse, qu'elle avait senti chez Marceau le reflet d'autres soucis. Elle avait d'ailleurs choisi les bons moyens de rassurer tout le monde : elle avait extrait de son réseau suffisamment d'informations pour que reflue la panique et elle annonçait son retour imminent. Le pilote-guide-interprète était une figure aisée à peindre. « Malgré ses verres fumés », se dit Marceau. Entremetteur dans l'âme, proche de tous les trafics, attentif à toutes les convoitises, il trouvait occasions, contacts ou exécutants, tout ce dont les diverses monnaies du triangle pourri lui confiaient la recherche. S'il avait survécu à ses audaces de fildefériste, seule l'expliquait la convergence des intérêts. Chacun avait besoin de lui et lui était redevable d'un secret. En plus, l'individu possédait un don peu répandu: il s'évaluait sans inflation. D'autres plongeaient dans l'action et prospéraient plus vite; lui rendait les choses possibles et accumulait de discrets pourcentages à des risques moindres. On ne lui connaissait pas de débordements. L'hypothèse la plus probable? Entre autres passe-temps lucratifs, l'homme aux verres fumés servait de passerelle entre Simon Gendron et des intérêts aux contours dangereusement imprécis. Si Gendron fils ne parvenait pas à mêler la fondation à ses tractations, l'intermédiaire lui expliquait les mœurs de la région...

«Bon travail d'équipe, jugea Pharand. Ça ressemble aux collages que font les cégépiens en pensant qu'ils travaillent en équipe. Chacun écrit une page et signe l'ensemble. Carlotta a un copain qui rêve de battre Freud sur son terrain, un autre étudie la criminalité, un autre s'intéresse à l'administration... Dans la police, c'est presque la même chose: on ne sait pas ce que l'autre a ramassé.

— C'est quand même assez bien fait pour me rassurer, commenta Marceau. Ils ont les yeux ouverts.»

Réjean Lemay arrivait, en réponse à l'appel de Pharand. La police de Posadas appréciait qu'on lui écrive en espagnol et qu'elle puisse répondre... en espagnol. Il lut le courriel.

«Je ne sais pas si c'est une vacherie ou une gentillesse, mais ils vous disent que nos méthodes policières ressemblent aux leurs. Vos questions, d'après eux, ce sont celles qu'ils auraient posées dans les mêmes circonstances.»

Pharand garda pour lui son arbitrage entre la vacherie et le compliment.

«Ils sont contents d'apprendre que le fils Gendron a envoyé à Posadas, puis encaissé de grosses sommes en liquide. Ils connaissent les allées et venues du pilote qu'emploie le fils Gendron et ses fréquentations. Ils ont identifié la boîte de nuit, c'est le terme qu'ils utilisent, où une des connaissances du pilote a claqué du fric toute la nuit avec des hôtesses, encore un terme à eux, et des amis. Ils n'expliquent pas leur enquête, mais ils affirment que ce fêtard généreux a tout de même déposé dans son compte personnel une vingtaine de milliers de dollars. Ils l'ont donc invité, le mot est également le leur, à expliquer cette richesse subite. Il prépare présentement ses explications dans un local de la police. Si vous avez des questions à lui poser, ils les utiliseront avec plaisir.

– Dites-leur merci, répondit Pharand. Et demandez-leur, s'il vous plaît, s'ils suivent les allées et venues de Simon Gendron. S'il revient au Québec, nous aurons un comité d'accueil. Et merci à vous, monsieur Lemay.»

Pendant que Pharand piochait dans le texte espagnol de la police argentine pour se pénétrer de la teneur du message, Marceau relisait le long courriel de Carlotta. En rupture avec son habitude, il respecta la concentration de Pharand, mais intervint dès qu'il le vit déposer le courriel.

«Gendron junior est-il assez écœurant pour faire assassiner sa sœur après avoir tué son père?»

À la question brutale répondit un silence indécent et équivoque. Certes, l'absence de scrupules était manifeste et orientait les soupçons vers le fils Gendron. Pharand hésitait pourtant. Les mœurs de la confrérie policière n'avaient guère de secrets pour lui. Il s'étonnait à peine lorsqu'une providentielle arrestation résolvait d'un seul coup des dizaines d'énigmes et faisait porter tous les chapeaux à un chenapan pourtant étranger aux crimes non résolus. Les statistiques de l'élucidation s'en portaient mieux. Que la police de Posadas, éperonnée par celle d'un pays de l'autre hémisphère, s'intéresse à un truand bas de gamme, c'était peut-être assez pour le faire graduer de suspect à coupable. Par ailleurs, le raisonnement construit contre le fils Gendron n'était pas bancal. Il avait multiplié les visites en Amérique du Sud, il avait constamment dépendu du même guide, il avait encaissé sur place des sommes importantes dont les traces disparaissaient comme celles d'un pas dans le sable... C'était tentant d'envisager un chantage ou la commandite d'un geste inavouable. À ce stade, il demeurait prématuré d'en faire l'assassin de sa sœur.

« Le réseau Carlotta a l'air capable de suivre à la trace le pilote du fils Gendron. Est-ce qu'on leur demande quel itinéraire il a suivi avec la fille Gendron et quand il s'est séparé d'elle?

— Tu abuses de ma bonté, mais je consens à écrire encore à Carlotta, fit Marceau comme un martyr en intense jouissance masochiste. En récompense, dis-moi pourquoi tu t'intéresses à un bonhomme qui a la loyauté d'un bateau-passeur, mais qui n'est soupçonné de rien?

– Quand un individu ressemble à ce que tu dis, est-il qualifié pour devenir un bon indicateur de police?

– Tu es complètement tordu, mon André, mais, O.K., tu as raison: un bateau-passeur. La police de Posadas connaît comme nous ce genre de bateau. En Québécois moyen, tu te demandes si la police, qui vient de battre Sherlock Holmes au championnat des enquêtes instantanées, a reçu un tuyau du pilote?

– Qu'en penses-tu?

– Très pensable. Et pourquoi ce cadeau de la part d'un agent triple ou quadruple?

– Nous avons le choix. Le pilote-homme-à-tout-faire des enfants Gendron a peut-être été soupçonné lui-même. Après tout, la fille Gendron était confiée à sa garde. D'un autre côté, il a peut-être appris ou vu quelque chose et il a eu peur d'être considéré comme un complice. Un cadeau préventif en échange de je ne sais pas quoi. Ou encore...

– Ou encore quoi?

– Je viens d'avoir une crise subite de paranoïa, quelque chose comme une vision. Je t'en reparlerai. Obtiens des détails du réseau Carlotta et on verra si je suis encore plus tordu que tu penses.

– Je n'ai pas besoin de détails sud-américains pour te diagnostiquer, mais je vais en demander à Carlotta.»

En s'asseyant à son pupitre, Marceau eut une exclamation:

«Justement, elle m'a envoyé un autre courriel.»

Sur les entrefaites, l'ordinateur de Pharand

signala lui aussi l'entrée d'un message. Message si laconique et expressif que le policier en déchiffra l'espagnol sans recourir à Lemay : le fils Gendron avait activé son billet de retour et prendrait le prochain vol Asunción - Montréal. De son pupitre, Marceau annonçait la même nouvelle. Le réseau Carlotta avait devancé la police de Posadas d'au moins une demi-heure!

Chapitre 32

Le prudent procureur n'avait pas chipoté. Une deuxième perquisition chez Chantal Doiron l'enthousiasmait autant qu'une promenade nu-pieds sur un sable rendu sadique par le soleil, mais, il le concédait, son rôle auprès d'Aimé Gendron justifiait un second regard. Autorisation était donnée, aval judiciaire à la clé, de copier le disque dur et les documents qui pouvaient éclairer la police et l'éventuel tribunal sur la pratique de l'infirmière. Les renseignements nominatifs sur des tiers feraient l'objet des précautions souhaitables, promettait-on. On verrait s'il fallait hausser le ton ou placer les boucliers en état d'alerte.

Pharand et Marceau tenaient à surprendre l'infirmière. La voiture de police de service dans le quartier confirma que la Lexus de madame (immatriculation jointe) était stationnée à proximité de l'appartement (adresse jointe). Sitôt le renseignement reçu, Pharand et Marceau surprenaient madame Doiron à domicile et lui annonçaient la venue, sur leurs talons, de l'équipe technique. À eux de confesser l'ordinateur, le répondeur téléphonique, les relevés bancaires, les carnets d'adresses, la pharmacie... Théoriquement, les ordonnances émises par les médecins échappaient à la mission, en hommage au secret professionnel. Précaution hypocrite, bien sûr, car le carnet d'adresses trahirait l'identité des médecins. La plupart, tout en taisant beaucoup de secrets, en révéleraient d'autres, comme le médecin traitant d'Aimé Gendron venait de le faire sans même s'en apercevoir.

Les précautions ne furent pas de trop. Cette fois, pas de café, ni d'offre de rôtie. Elle les reçut avec l'enthousiasme d'un cuisinier en plein jus découvrant deux Témoins de Jéhovah au bout de sa sonnette. Elle lut le mandat, le replia. Elle s'apprêtait à le glisser dans une bourse à la gueule béante, quand le technicien la pria de vider le sac sur la table. Elle ne put rien protéger, pas plus les médicaments dont venait peut-être de bénéficier son plus récent patient que le carnet d'adresses et de numéros de téléphone. L'appareil photo ingurgita les pages à une cadence industrielle, prit des vues d'ensemble et des gros plans de l'attirail. Déjà, le disque dur défilait sa saga sous l'œil désabusé du technicien qui en avait marre, une fois de plus, de voir si peu utilisé un équipement qui provoquait son envie. Les papiers personnels, y compris le passeport, les relevés bancaires, le chéquier, les factures découlant des cartes de crédit, furent dûment photographiés eux aussi comme s'il était banal de jeter ainsi une intimité sous le regard d'autrui. Pour endurer la scène, Pharand avait besoin de se noircir mentalement l'image de cette femme et d'en faire, avant même que se confirment les soupçons, un danger public. Elle, bras croisés, blanche de rage, observait un silence que le policier s'expliquait mal. La pensée vint à Pharand qu'elle avait déjà connu pire.

« Ma mise en garde de l'autre jour vaut encore. Pendant combien de temps avez-vous vécu à l'étranger? lui demanda-t-il.

– La loi ne m'oblige pas à répondre à vos questions.

– C'est vrai et je vous l'ai rappelé. La perquisition va s'effectuer et plus personne n'y peut rien, mais les questions, c'est autre chose. Téléphonez à votre avocat si vous le jugez bon.

– Cela vous permettrait d'enregistrer les conseils qu'il me donnerait. Très peu pour moi. »

La lividité quittait ses traits, mais pas la rage. Les méplats et les maxillaires en devenaient plus durs. Peut-être pour désaxer l'interrogatoire, elle passa à l'offensive.

« Qu'est-ce que vous cherchez? Je pratique ma profession de mon mieux et vous n'avez jamais prouvé que j'avais commis une erreur. Monsieur Gendron est mort de sa belle mort.

– Ce n'est pas certain, pas certain non plus pour sa fille.

– Qu'est-ce que j'ai à voir là-dedans? Elle meurt à l'autre bout du monde et vous saccagez mon appartement comme des maniaques! Cherchez vos tueurs là-bas et laissez-moi vivre!

– Quel vaccin avez-vous donné à madame Gendron avant son départ?

– Ce qu'il lui fallait.

— En avait-elle besoin pour aller en Argentine?

— Est-ce que j'ai dit qu'elle allait en Argentine?

— Vous connaissiez sûrement son itinéraire, sinon vous n'auriez pas su quel vaccin donner. Où s'en allait-elle?

— Je me souviens de l'Argentine.

— Était-elle une de vos patientes régulières?

— Non. Je rendais service. C'était la sœur d'un ami. »

Pharand évita le regard de Marceau, de crainte d'extraire l'infirmière d'une colère qui la poussait aux imprudences. Plusieurs clarifications leur tombaient entre les mains comme un cadeau inattendu. C'est par le fils que s'était établi le lien entre elle et Aimé Gendron et c'est elle qui avait administré le vaccin à l'objectif nébuleux.

« Est-ce que son frère a insisté sur le vaccin?

— Qu'est-ce que j'en sais, moi? Demandez-le-lui. Il s'en vient! »

Cette femme est agile, se dit Pharand, certain que Marceau ruminait la même réflexion. Elle fait semblant de gaffer, mais elle sait son répondeur prêt à révéler l'appel téléphonique reçu du fils Gendron. Quand ils écouteraient le message, ils croiraient presque à sa sincérité. Pharand revint sur ses pas :

« Contre quoi l'avez-vous vaccinée?

— Contre les risques courus par les touristes qui sortent des sentiers battus.

— C'était son intention?

— C'était sa demande.

— C'est violent?

— Pas si vous prenez le temps de l'absorber.

— Vous avez rendu service à un ami à cause de l'urgence?

— Ça m'arrive de rendre service.

— C'était tellement urgent que madame Gendron n'a pas eu le temps, comme vous dites, d'absorber le vaccin...

— Je suis infirmière, pas surveillante.

— Est-ce pour cela que l'autopsie n'a pas trouvé les substances que contient le vaccin?»

Pour la première fois de l'affrontement, son regard flotta. À n'en pas douter, les autopsies lui déplaisaient. Pharand se servit en silence le vieux cliché sur les métiers qui enterrent leurs erreurs. Elle haussa les épaules.

«Lui avez-vous administré un placebo?»

Pas plus de réponse.

«Est-ce que plusieurs de vos patients ont subi une autopsie à leur décès? Excusez-moi, je retire ma question. J'aurais dû m'en tenir pour l'instant aux deux décès de notre enquête. Vous êtes seule et vous auriez besoin d'un avocat. Vous saurez sur quelles hypothèses nous travaillons.»

Pharand lui avait fourni de quoi raviver ses cauchemars. Les techniciens avaient terminé leurs photographies et leurs enregistrements.

«Vous serez convoquée à notre centrale d'ici très, très peu de temps. Nous vous dirons alors quelles accusations nous portons contre vous. Avertissez votre avocat.»

Ses yeux demeuraient orageux. Elle les regarda franchir le seuil et poussa la porte derrière eux d'une épaule rancunière. Pharand et Marceau regagnèrent leur voiture à temps pour voir partir celle des techniciens.

«Ça n'aurait pas été plus simple de prendre son passeport? demanda Marceau.

– Plus simple et plus cruel. Saisir le passeport, c'est déjà une forme d'emprisonnement. Que d'autres décident ça au lieu de la police. De toute façon, que Chantal Doiron aille n'importe où, elle reprendra forcément son métier et n'importe quel hôpital va fouiller au moins un peu. Je pense qu'elle a déjà fait le coup et qu'elle a eu sa leçon.

– Elle a lâché quelques bonnes informations, ajouta Marceau en tournant sur le boulevard René-Lévesque. C'est le fils qui l'a présentée à son père. C'est elle qui a vacciné la fille. Le fils Gendron l'avertit qu'il revient. Tu ne trouves pas que ça se précise?

– L'acteur le plus important est en train de refaire ses calculs. Ça va se préciser encore plus.

– Qui ça, l'acteur le plus important?

– L'argent, Jean-Jacques, l'argent. Si l'avocat de Carlotta gagne son injonction, le fils Gendron peut s'abonner à la soupe populaire. S'il a fait des promesses à des partenaires sud-américains à la mèche courte, il a des problèmes d'assurance-vie. Il ne peut même plus financer son avocat Letarte qui n'a pas le profil du bénévole généreux. Et si c'était l'argent qui rapprochait Gendron fils et l'infirmière Doiron, leur belle amitié aura besoin d'un vrai vaccin.

– Le réseau Carlotta aussi est intéressé à l'argent, compléta Marceau.

— Vrai, mais, dans ce cas-là, l'argent est moins urgent. La fondation peut rouler un an ou deux avec les chèques signés du vivant d'Aimé Gendron. Ça laisse le temps aux tribunaux de réétudier la tutelle et le testament. Mais pour Gendron fils, Chantal Doiron, Clovis Letarte, les promoteurs et les partenaires qui se font sevrer d'un coup, c'est marqué *pressé.* »

Si les deux policiers avaient rêvé d'un lunch apaisé et apaisant, leur espoir s'évapora une seconde après leur retour à la centrale. Plusieurs courriels les réclamaient et les messages que leur remit Madeleine, la téléphoniste, étaient presque incandescents. Une fois de plus, l'estomac se contenterait de malbouffe et de café. Cellophane sur fond de polystyrène comme source de jouissance gastronomique. Ils s'échangèrent messages et courriels au-dessus du bureau de Pharand à peine dégagé des dossiers. Malgré la gymnastique des maxillaires, ils procédèrent à la mise à jour.

« J'ai un courriel de la police de Posadas, fit Marceau, la bouche s'efforçant à la polyvalence. C'est court, mais en espagnol. Est-ce que je harponne Lemay?

— Lis-le d'abord. Je le lirai après. À deux, on doit piger le plus gros. On verra après s'il nous faut un interprète. De mon côté, je dois rappeler notre prudent procureur.

— RC confirme l'heure d'arrivée du fils Gendron.

— RC? Radio-Canada? »

Pharand savait qu'il tombait dans un piège à la Marceau, mais comment l'éviter?

« RC. Réseau Carlotta. S'il faut tout t'expliquer, ce n'est plus la peine d'utiliser des abréviations. 10-4...

– Maître Marc-André Lavoie, lut Pharand sur un autre message sans relever la taquinerie. Le connais-tu? Ça me met les nerfs dans une déchiqueteuse quand un inconnu crie à l'urgence sans dire où ça lui démange.

– Voyons, André, la discrétion, c'est sacré. Tu ne voudrais quand même pas qu'un *bavard* expose le nom de son client à de méchantes rumeurs. Tant pis pour toi si tu perds du temps en appels idiots. À toi, le cher maître cache les secrets qu'il susurre dans l'oreille des journaleux. Ton Lavoie, je l'ai croisé deux ou trois fois au Palais de justice. Petit sec à moustache, la toge comme des ailes de moulin à vent, la voix d'un moteur de formule 1. Je sens que tu vas l'aimer. »

Marceau avait confié à une serviette de papier le soin de lui tordre les lèvres et de les affranchir de toute trace du festin. Pharand, qui avait capitulé devant sa salade de poulet, dialoguait avec un café qui avait évacué sa chaleur. Dans un instant, ils mèneraient la conversation sans parler la bouche pleine.

« *Magnana*, ça veut dire demain?

– Oui, répondit Pharand, mais il paraît qu'un Espagnol qui dit demain ne promet pas que ça va se passer demain...

– Laisse faire les finesses! Ce que je comprends, moi, c'est qu'ils ont les aveux du meurtrier de la fille Gendron et qu'ils vont le présenter au juge *magnana*. Un dénommé Pedro Ramirez. Un nom de joueur de baseball. Oups! Attends un peu. Il y a une annexe à leur courriel, toujours en espagnol, et ça m'a l'air plus long. Lemay serait peut-être utile. Ça m'a l'air d'être la confession du joueur de baseball.

– Appelle-le. Fais des copies, qu'on puisse suivre. J'appelle le prudent procureur.»

Lemay, heureux de sauter son tour à la circulation, n'attendait qu'un tel appel. Il déboula comme un bolide et s'installa en face de Marceau. Sitôt traduit le courriel reçu de Posadas, le policier téléphona au procureur.

«Si j'en juge par les décibels qui m'arrivent, déclara Philippon, l'affaire Gendron devrait battre Katrina en tapage dans les prochains jours. Aimez-vous l'évolution qu'elle prend?

– J'en sais probablement moins que vous, répliqua Pharand. Vous avez d'autres sources que les miennes.»

Il enchaîna, car ni l'un ni l'autre n'avaient le temps de comparer leurs contacts ou la longueur de leurs oreilles.

«Je ne vous parle pas de la perquisition chez Chantal Doiron, parce que vous connaissez tout ça. Deux éléments s'ajoutent que vous ne connaissez peut-être pas. Premièrement, la police de Posadas détient un individu qui avoue avoir reçu de l'argent pour tuer la fille Gendron. Deuxièmement, le fils Gendron débarque à Montréal aujourd'hui, puis il rentre à Québec. Il y a aussi du neuf dans l'offensive de l'avocat Jobidon contre la descendance Gendron, mais vous êtes probablement déjà au courant. Soit dit en passant, ce Jobidon fait honneur à votre jugement.

– Content, soit dit entre nous, qu'il vous plaise. Il a beaucoup de respect pour vous. C'est un peu à son sujet que je vous appelle. Est-ce que sa contestation de la mise sous tutelle risque de paralyser votre enquête? »

Pharand fut tenté de se soustraire à la question. Il était payé pour savoir que les causes les plus simples peuvent engendrer les procédures les plus longues, mais, en policier pressé par l'opinion, les médias et les élus, il se tenait à distance des subtilités légales. À ses yeux, tuer un millionnaire généreux ou tuer un millionnaire placé sous tutelle, c'était de toute façon un meurtre et, en l'occurrence, le même répugnant parricide. Dans l'hypothèse, bien sûr, où la preuve accablerait les enfants Gendron. Non, l'enquête ne serait pas entravée.

« Notre ami Letarte obéit à des mobiles qui m'échappent, poursuivit Marcel Philippon, que Pharand, par un respect croissant, qualifiait moins souvent de prudent procureur. Au début, je croyais, sans certitude absolue, qu'il gardait la haute main sur les intérêts des jeunes Gendron et qu'il incluait là-dedans l'infirmière. Par ricochet, son seul objectif me paraissait la ruine de la fondation suivie de la récupération de ses fonds. Là, il m'avise qu'il s'occupera strictement de Simon Gendron, que son client n'est pas responsable de ce que sa sœur a pu promettre avant de mourir et que Chantal Doiron doit se débrouiller seule.

Pouvez-vous éclairer ma lanterne? Je devrai ajuster notre stratégie si vous me recommandez des accusations précises.»

Pharand était rassuré. Les dés roulaient et les accusations devenaient probables et plus précises. Avec Philippon, il pouvait jongler avec les hypothèses sans que l'autre lui reproche après coup de l'avoir lancé sur une fausse piste.

«Je n'aime pas votre interlocuteur, déclara Pharand à voix feutrée. Cela colore mon bilan. Vous avez raison de le trouver *versant*. D'après moi, il y a un lien du format câble transocéanique entre ses choix et l'argent. Pour dire les choses crûment, c'est son seul critère. Si l'infirmière n'a plus de valeur marchande, il la largue. Si l'héritage de la sœur tombe entre les mains du frère, la sœur n'a jamais existé. C'est peut-être normal, mais l'élégance fait défaut.

– Elle n'a pas de descendance?

– Ni père ni mère. Pas d'autre frère ou sœur que Simon. D'où la concentration sur Simon.

– L'infirmière détient-elle des informations susceptibles de mettre Simon Gendron dans l'embarras?

– Oui, je le pense.

– Sont-ils reliés disons intimement?

– Je dirais non, mais la vie me surprend chaque jour! Non, je ne crois pas, même si les extrêmes attirent parfois les extrêmes. Elle, c'est une fonceuse. C'est une femme forte, athlétique, rassurante. Une amazone avec du style et des manières tant qu'on ne l'agresse pas, mais qui garde l'arc et une poignée de flèches à portée de la main. Lui, c'est un paon tenté par des nymphettes interchangeables. Il a peut-être besoin d'une figure maternelle.

— Pourquoi Letarte court-il le risque de la choquer? Elle va se précipiter vers nous pour vider son sac et celui de Simon en même temps.

— Vous avez raison. J'ai d'ailleurs un message d'un avocat qui doit être le sien. Je m'attends à une proposition. »

Philippon avait dit *nous* et Pharand renvoyait poliment l'ascenseur. S'ils s'entendaient sur une stratégie, ils seraient dans le même bateau pour la défendre.

« À ce stade, poursuivit le policier, je soupçonne le fils Gendron et son avocat de nous jeter l'infirmière en pâture. S'il y a eu empoisonnement ou erreur, à elle d'en subir les conséquences. Le fils n'était pas là. En plus, ces deux-là ont probablement déterré quelque chose dans le passé de Chantal Doiron et ils vont la discréditer.

— Quel avantage personnel pouvait-elle espérer de la mort de Gendron? Elle perdait un client riche.

— Vous mettez le doigt sur ce qui est encore nébuleux. On lui a sûrement promis quelque chose. Gendron semble avoir fonctionné à coups de chèques en Amérique du Sud. La perquisition nous fournit des chiffres éloquents.

— Bonne piste, opina le procureur. Dans le cas de la fille Gendron, est-ce que les aveux obtenus en Argentine mettent le fils Gendron hors de cause ou s'ils le désignent comme le commanditaire d'un crime?

— À ce stade-ci, je ne peux pas vous répondre. Ma paranoïa rejette l'hypothèse d'un simple accident, mais c'est tout.

— Même pas après la confession?

— J'ai des doutes sur la confession. Trop rapide, trop conforme aux intérêts touristiques. La police l'a enregistrée au cas où l'autopsie aurait conclu à un meurtre. Ça, c'est réglé. Quant à Gendron, il revient si vite qu'on peut penser n'importe quoi.

— Vous seriez surpris s'il était blanc comme neige?

— Surpris, fit Pharand, et scandalisé. Ces jours derniers, il menaçait encore la fondation.

— Les circonstances vous paraissent-elles propices à des négociations? Comme disait un récent juge en chef, "ce n'est plus de la justice, mais c'est de l'administration".

— Cela ne relève pas de moi, monsieur Philippon. Mon boulot, c'est de vous fournir assez de munitions pour que vous n'ayez pas à négocier à la baisse.

— C'est donc mon intérêt de vous souhaiter bonne chance! »

Chapitre 33

« Bonjour, monsieur Lavoie. Vous m'avez appelé. »

Pharand avait eu droit, comme prévu, au gluant *bureau de maître Marc-André Lavoie*. Comme d'habitude, le policier n'avait pas retenu le pompeux titre professionnel.

« De quoi accusez-vous ma cliente?

– Qui est votre cliente?

– Comme si vous ne le saviez pas!

– Je n'ai pas de talent pour les devinettes, monsieur Lavoie. Dites-moi vite l'objet de votre appel ou je raccroche.

– Chantal Doiron. »

« Sûrement prétentieux, mais pas très fort au poker », se dit Pharand.

« Que je sache, aucune accusation n'a encore été portée contre madame Doiron. Y a-t-il autre chose?

– Vous lui attribuez une responsabilité dans la mort de son patient Aimé Gendron...

– Comme il ne s'agit pas d'une question, je n'y répondrai pas. Je vais répéter lentement ce que je vous ai dit : aucune accusation n'a encore été portée contre madame Doiron. Et je redemande s'il y a autre chose.

– Vous avez insisté auprès de madame Doiron pour qu'elle prenne conseil d'un avocat. Vous deviez avoir des raisons. Lesquelles?

– Je me suis assuré que madame Doiron connaissait ses droits. J'ai des questions à lui poser et je pense, comme policier et comme citoyen, qu'elle a le droit d'être assistée lors d'un interrogatoire. Je vais la convoquer très bientôt pour cet interrogatoire. Dès aujourd'hui ou demain à la première heure. Elle vous avertira si elle le juge bon. Autre chose?

– Quelles questions voulez-vous lui poser?

– Monsieur Lavoie, j'ai du travail et vous me faites perdre mon temps. Pour la dernière fois, y a-t-il autre chose?

– Avant de lancer vos accusations, appelez-moi donc. Je verrai ce qu'on peut faire.

– Vous pouvez débrancher votre téléphone, monsieur Lavoie. Quand madame Doiron entendra nos questions, elle saura très vite si elle risque la mise en accusation et à propos de quoi. Je ferai rapport à notre procureur et il portera les accusations justifiées. Je ne construis pas de pont avant d'avoir une rivière. »

Pharand fut déçu que l'autre raccroche. Il avait espéré que Lavoie brandisse une offre de négociation. Ce n'était que partie remise; Lavoie reviendrait avec une branche d'olivier entre ses petites incisives comme un bon toutou. Agréable poussée d'adrénaline! Il avait servi une leçon à un blanc-bec qui ne la retiendrait pas et il avait appris que l'une de leurs deux cibles vacillait sur sa base.

Chantal Doiron n'avait pas le profil d'une immolée et elle ne reproduirait pas l'agneau pascal. Elle ne paierait que sa part et, si possible, moins que sa part. Il n'y avait même pas urgence à aviser Philippon, puisqu'il avait flairé l'odeur du *deal*.

Lemay venait de quitter Marceau et celui-ci commandait à l'imprimante les copies de deux courts textes : la version originale en espagnol des aveux de Pedro Ramirez et la traduction cursive que venait d'établir Lemay.

Moi, Pedro Ramirez, reconnais avoir été payé pour faire tomber Gisèle Gendron en bas d'une falaise. Je ne connaissais pas la femme, mais on m'a expliqué qu'elle nuisait au développement de la région et qu'elle avait essayé de transférer à des intérêts étrangers le contrôle et les profits de projets nationaux et régionaux. Je ne regrette pas d'avoir reçu de l'argent pour effectuer ce travail, car c'était de l'argent volé par les gringos.

« Affaire classée d'après toi? Pour moi, ça fait pitié.

– Tu me rassures, André! On n'a quand même pas des poignées sur les omoplates. Fiston Gendron aurait pondu ça sur un coin de table que ça ne serait pas plus idiot. D'après Lemay, il n'y a à peu près pas de fautes d'orthographe.

– Le pauvre gueux n'était probablement pas capable de lire ce qu'il a signé, ajouta Pharand. Même son *Pedro* au bas du texte ne doit pas être de lui. Les méchants gringos, le développement régional, le paiement anonyme..., ça fait beaucoup. Ils doivent avoir des tribunes téléphoniques encore pires que les nôtres. Je te parie que nos diplomates vont avaler ça pour ne pas faire de vagues. Chose certaine, cette police-là pratique la double précaution : la ceinture et les bretelles. Si l'autopsie choisit l'accident, on oublie tout. Si on parle de meurtre, on a un coupable dans sa manche!

— En annexe, enchaîna Marceau, la police dit qu'ils ont suivi Simon Gendron jusqu'à l'aéroport de Posadas. La police d'Asunción réceptionne le *colis* et s'assure de son départ vers Montréal. Ils se fient à nous pour l'accueillir. On nous invite à le traduire devant nos tribunaux si nous pensons avoir une cause contre lui.

— En gros, ils ne considèrent pas le fils Gendron comme le commanditaire du meurtre, c'est ça?

— Question inutile, André. Ils ne sont pas intéressés à l'accuser. Il s'en va et ça leur suffit. Ils risquaient une mauvaise publicité. Les discussions avec des avocats étrangers, c'est long, coûteux, frustrant. On ne peut même pas les accuser de blanchir un coupable, ils nous disent de le poursuivre si ça nous amuse. Leur version officielle, c'est que le dénommé Pedro a reçu de l'argent pour liquider une étrangère. Il ne dit pas qu'il a exécuté le mandat. Si c'est nécessaire, on s'arrangera pour qu'il le dise. Ma version à moi, c'est que Pedro ne sait même pas de quoi on l'accuse. Il est payé pour stopper l'enquête, mais l'argent vient du fils Gendron. La police reçoit le tuyau d'un indic, le mec aux lunettes bronzées. Le fils Gendron arrose un peu tout le monde, la police, le pilote aux yeux fragiles et même Pedro. On garde Pedro à l'ombre le temps que les gringos l'oublient et on se débarrasse du fils Gendron en le renvoyant chez lui. L'autopsie n'a rien révélé, l'incinération a rempli une petite urne que le fils Gendron a dû vider dans les chutes et on tourne la page. Est-ce que j'ai de l'avenir comme journaleux? »

Pharand laissa tomber du bout des doigts la feuille portant la traduction de la confession. Comme on jette un kleenex.

« Dans ta version, qui n'est pas folle, pourquoi le fils Gendron revient-il aussi vite?

– Je ne sais pas si la police de Posadas le soupçonnait de quelque chose, mais une confession comme celle-là, c'est du gâteau pour tout le monde et pour Gendron aussi. Il était ici au moment du meurtre et, en plus, Pedro tourne le réflecteur vers d'autres commanditaires. Si, en prime, la police lui confirme que ses partenaires locaux sont vraiment de mauvaise humeur, le petit Gendron pédale encore plus vite.

– Je ne suis pas certain de comprendre la même chose. Toi, tu penses que Gendron se dépêche parce qu'il a peur qu'on se fâche ou que la police change d'idée. C'est ça?

– Ajoute le fait que ses finances risquent la sécheresse. Toi, ça ne te satisfait pas?

– Je ne veux pas accuser toute l'Amérique du Sud de baigner dans la corruption, mais je cherche le rôle du triangle pourri dans notre affaire.

– Tu en as absolument besoin?

– Non, pas absolument. Mais j'ai droit à ma version, moi aussi, non? Si la concurrence est aussi violente qu'on le dit dans le triangle pourri, le meurtre de la fille Gendron était presque prévisible. Gendron a pu le planifier. Il a promis des fonds, mais il n'a jamais eu l'intention de les livrer. Les caïds locaux perdent patience. Quand la pression monte, le fils Gendron, qui n'a pas l'esprit de famille comme première vertu, rend sa sœur responsable des lenteurs. Il sait ce qu'il fait quand il envoie Gisèle dans la fosse aux lions. En la voyant arriver, les caïds, qui n'ont ni humour ni patience, placent un contrat sur la tête de la fille Gendron. Question de montrer leur sérieux. Le fils Gendron a obtenu ce qu'il voulait et il prend le premier avion. Le meurtre de la fille Gendron devient pour leur police une nouvelle à gérer calmement. Les meurtres de touristes, ce n'est bon pour personne, ni pour les affaires ni pour la police. Quelqu'un dans la police de Posadas joue sur les deux tableaux : il fait une fleur aux truands en n'enquêtant pas dans leur direction, il persuade le fils Gendron de se montrer généreux, il fait porter le chapeau au dénommé Pedro et le fils Gendron nous revient avec un ruban rose autour du cou. CQFD : ce qu'il fallait démontrer. »

Pharand termina son scénario en éclatant de rire :

« Ne me demande surtout pas mes preuves! Comme tu vois, j'en fume du bon...

– Te paies-tu ma gueule? Je commençais à te trouver génial...

– Si tu es encore assis entre deux chaises, tu n'es pas le seul. Ce que je viens de te dire, c'est poreux. Ça ne nous donne pas grand-chose si nous aboutissons seulement à des "nous pensons que". Il faut boucher les trous. En gros, oui, les choses ont pu se passer comme ça, mais si Pedro n'a pas tué la fille Gendron, qui l'a fait? Si on cherche dans la mafia du damné triangle, n'attends pas de collaboration.

– Tu me pompes l'air, mon André. Tu me traites comme le bouffon qui fait rire le monde dans la lutte Grand Prix: tu me lances dans les câbles et tu me démolis quand je rebondis! As-tu une troisième version pendant que je me repose?

– Oublie le dossier Gisèle pour une heure. Donne-moi un coup de main pour l'interrogatoire de Chantal Doiron. Est-ce qu'on la découpe en tranches ou si on la monte d'un bloc sur le bûcher?

– Avant cela, je voulais vérifier le comité d'accueil à l'aéroport Trudeau. Il ne faudrait pas échapper le colis. »

C'était déjà réglé. Un appel avait suffi à Pharand. Mieux valait, puisque les procédures à venir impliqueraient peut-être d'autres juridictions, s'en remettre à la GRC. Le colis serait livré en bonne et due forme.

Les deux policiers se séparèrent pour préparer chacun selon ses *bibittes* l'interrogatoire de Chantal Doiron. La méthode leur avait souvent réussi. De tempéraments différents et d'approches peu parentes, ils aboutissaient le plus souvent à des doutes complémentaires. Restait alors à définir ensemble les ruses de l'interrogatoire lui-même.

Ils n'avaient encore consacré qu'une petite demi-heure à cette immersion quand Marceau prit sa revanche.

« Je reçois un courriel du réseau Carlotta. Je l'ai lu, mais je ne veux pas déranger ta concentration. Ça peut attendre! »

Beau joueur, Pharand capitula en levant les bras.

Voici, écrivait Carlotta, *où nous en sommes. Monsieur Simon Gendron court de grands risques. Il est retourné chez lui, mais il a mécontenté des gens qui ont le bras long. Il avait promis d'investir plusieurs millions dans la construction d'un hôtel et d'appartements de luxe. Ses associés, qui ont presque tous été condamnés dans le passé pour trafic de drogue, avaient besoin d'une personne sans dossier pour obtenir les permis. D'après un copain, le projet est devenu trop gros et monsieur Gendron a demandé des délais en disant qu'il convaincrait sa sœur d'investir elle aussi. Il a payé ce que ses associés appellent des pénalités. Finalement, ils ont dit à monsieur Simon Gendron de faire venir sa sœur. Ils lui montreraient les lieux et la convaincraient. Quand madame Gendron est venue, nous l'avons suivie constamment. Le pilote l'a conduite près d'Iguaçu. Il n'était plus avec elle quand elle s'est rendue sur le côté argentin des chutes. Elle était avec deux hommes que nous ne connaissons pas. Personne n'a vu dans les environs le Pedro que la police considère comme le meurtrier. Un membre de notre équipe guidait un groupe de visiteurs tout près. Il a vu s'éloigner le trio. Il ne l'a perdu de vue que quelques minutes, puis les deux hommes sont repartis.*

Quand il est arrivé, monsieur Simon Gendron a compris ce qui s'était passé. Son avocat l'a aussi averti qu'il ne pourrait probablement pas investir de grosses sommes avant un certain temps, peut-être jamais. C'est là qu'il a voulu collaborer avec la fondation. Nous lui avons dit non juste avant d'apprendre qu'on avait tué sa sœur pour lui faire peur. Notre décision aurait été la même. Par précaution, nous avons transféré à Encarnación ce que nous avions encore à Posadas.

Malgré le mal qu'il nous a causé, dites à monsieur Simon Gendron de se montrer prudent.

« Elle donne d'excellents conseils, notre Carlotta. J'espère qu'elle en suit elle-même quelques-uns! Jure-moi que tu ne lui avais pas parlé avant de me construire tes théories.

– Croix de bois, croix de fer, si je mens, je vais en enfer! Je vais relire ce courriel tout à l'heure, mais je vais faire les démarches pour que cette enfant-là reçoive un doctorat *honoris causa* en agilité mentale.

– J'ajouterai un doctorat personnel en *guts.* »

Chapitre 34

En chair, en os et en expectorations, l'avocat Lavoie déplut à Pharand plus encore qu'au téléphone. Toujours en spectacle devant sa cliente, il prétendait modifier en sa faveur tout rapport de force. À lui, de droit divin sans doute, de juger de la pertinence d'une question. À lui, par conséquent, de gérer l'interrogatoire et de mettre les policiers à sa botte. Les premières secondes de l'entretien auraient pu le détromper, mais il lui aurait fallu, pour parvenir à ce résultat, crever sa bulle de suffisance sourde et aveugle. Marceau étant prévenu, la répartition des places à la petite table des interrogatoires correspondit à la volonté des policiers, non aux calculs du *bavard*. Celui-ci, frotté de trucs ès communications, ne réussit pas à occuper le siège d'où il aurait pu, à l'insu des policiers, transmettre des conseils muets à sa cliente. À défaut de cette position stratégique, il voulut au moins que sa cliente et lui s'assoient côte à côte et tournent le dos au grand miroir derrière lequel, tous le savaient, quelqu'un pouvait observer ou filmer l'affrontement. Placier massif et têtu, Marceau fit asseoir Chantal Doiron et son avocat face à la vitre, offerts aux regards que les policiers voulaient ajouter aux leurs. Le message, qui s'apparentait aux moins souples des ukases tsaristes, n'atteignit pourtant pas les lentes cellules grises du plaideur.

« Nous sommes pressés, fit Lavoie. Dites-nous de quoi ma cliente est accusée.

– Nous sommes pressés, nous aussi, répondit Pharand. Les choses iront plus vite si on nous répond rapidement. »

Il enchaîna avant que Lavoie puisse protester.

« Madame Doiron, quels médicaments donniez-vous à monsieur Aimé Gendron?

– Monsieur Pharand, coupa l'avocat Lavoie, vous revenez sur des décisions déjà rendues. La mort de monsieur Gendron a été déclarée naturelle. Cessez vos insinuations au sujet d'un empoisonnement qui n'a jamais eu lieu. »

Pharand et Marceau, manœuvrant de conserve, rassemblèrent silencieusement leurs dossiers et leurs notes et en firent doucettement de petites piles prêtes au départ. Derrière le miroir dissimulant une vitre sans tain, le procureur Philippon devait rigoler au déroulement d'un scénario décidé d'avance.

« Puisque madame Doiron, d'elle-même ou sur le conseil de monsieur Lavoie, refuse de répondre à nos questions, je l'avise que notre procureur dépose contre elle une accusation de meurtre au premier degré. Madame, vous comparaîtrez demain matin. D'ici là, vous serez en détention. »

Ils étaient debout quand Lavoie explosa comme une baudruche.

« Un instant, un instant! Ce n'est pas comme ça que ça va se passer! Où sont vos preuves? »

La confiance de Chantal Doiron en son coq de combat était en berne. Pas un instant, elle n'avait envisagé de dormir le soir même derrière les barreaux. Peut-être même Lavoie lui avait-il promis de liquider les accusations d'un geste et de la laver instantanément de tout soupçon. Elle passa outre à la fébrilité tapageuse de Lavoie.

« Monsieur Pharand, êtes-vous de mauvaise foi à ce point? Vous savez très bien que, même si j'avais gavé monsieur Gendron de mort-aux-rats, vous ne pourriez le prouver.

— Est-ce que monsieur Gendron avait le droit de se promener? Savez-vous où il achetait ses journaux? »

Chantal Doiron écrasa d'un geste menaçant la réplique qu'allait proférer un Lavoie agité comme une volaille déplumée.

« Monsieur Gendron n'était pas dangereux. Ses enfants le logeaient, ils payaient mes services. Il avait une certaine liberté de mouvement. C'est cela que vous voulez savoir?

— Madame Doiron, saviez-vous que, trois jours avant sa mort, il s'est rendu dans une clinique tout près de sa résidence forcée. Il ne se sentait pas bien et il voulait savoir pourquoi. La clinique a conservé les échantillons de sang et d'urine et nous avons les résultats. Voulez-vous encore parler de ma mauvaise foi? »

Seul Lavoie sous-estima l'importance de la révélation.

« Ces résultats appartiennent au liquidateur testamentaire, protesta-t-il.

– Laissez tomber le liquidateur testamentaire, monsieur Lavoie, coupa Marceau. Vous ne le représentez pas et son avocat ne représente pas madame Doiron. Avez-vous quelque chose à dire, madame Doiron, avant de vous rendre en cellule ? »

Elle n'avait pas quitté sa chaise. Pâle, plus concentrée que jamais, une barre d'inquiétude lui sciant le front, elle avait désormais les coudes sur la table, tendue comme un sprinter prêt à bondir. Elle ne s'adressait plus qu'aux policiers. Du regard, elle tua dans l'œuf les arguties que son avocat, aussi intuitif qu'une borne-fontaine, mitonnait encore. Puis, elle le réduisit brutalement au silence.

« Je ne paierai pas pour les autres. Laissez-moi défendre ma peau. Monsieur Pharand et moi, oui, on va se parler. Si vous restez, taisez-vous. Vous me parlerez après. »

Pharand, qui substituait le mépris à la colère que l'avocat lui avait d'abord inspirée, espérait quand même le voir s'incruster. Défendue par un tel maladroit, Chantal Doiron affaiblissait une cause hypothéquée. Ce genre de triomphe n'enthousiasmait pas le policier. Par contre, le départ de l'avocat aurait privé l'infirmière de tout témoin autre que ceux de l'accusation.

« Je ne veux pas entrer dans les détails, madame Doiron. Je ne suis pas compétent pour apprécier les services médicaux ou pharmaceutiques que vous pouviez offrir à monsieur Aimé Gendron. Je pose une question générale. Votre réponse, je vous le souligne, peut vous incriminer. Votre patient a-t-il, oui ou non, reçu de vous des substances qui l'ont affaibli et rendu plus vulnérable?

— Oui.

— Vous agissiez ainsi à la demande de quelqu'un d'autre?

— C'est évident. Je n'avais aucun intérêt personnel à nuire à monsieur Gendron.

— D'après nous, madame Doiron, on a exercé sur vous deux types de pression. D'abord, l'argent. Un versement majeur et des honoraires professionnels au-dessus des normes. Vos relevés financiers le démontrent. Ensuite, un chantage fondé sur les ennuis que vous avez vécus dans le passé.»

La réponse flotta un instant, comme si l'infirmière luttait contre un souvenir douloureux.

«Dans votre esprit, c'est vous qui posiez les gestes, mais vous étiez seulement une complice, c'est cela?

— Mais c'est ça que je suis! Une exécutante, c'est tout.

— Madame Doiron, merci de votre franchise. Je vous garde quand même en détention. Notre procureur décidera de l'accusation: meurtre ou complicité de meurtre. À votre comparution demain matin, notre procureur vous communiquera sa décision.»

Chantal Doiron prit le chemin des cellules sans un regard pour Lavoie. Celui-ci fila vers l'autre porte en murmurant un «Vous allez me le payer!» auquel les policiers répondirent par un «À demain!» censément neutre.

Sitôt seuls, Pharand et Marceau saluèrent de la main le procureur qui, ils le savaient, avait suivi la scène. Ils le rejoignirent, imitant à leur manière *Alice au pays des merveilles*, de l'autre côté du miroir menteur.

« Votre recommandation? fit-il en sollicitant du geste chacun des deux policiers. Meurtre ou complicité?

— Puis-je ne pas répondre? demanda Pharand avec déférence.

— Vous avez quand même une opinion et elle m'intéresse, insista le prudent procureur de façon aussi civile.

— Je vous la soumettrai avec plus d'assurance quand j'aurai entendu la version du fils Gendron. Si elle n'est que complice, qui a assassiné Aimé Gendron?

— Vous avez raison, monsieur Pharand. Je retire ma question.

— Mettez-la au frigo, ajouta Marceau, ça ne sera pas long. Le fils Gendron arrive, par livraison spéciale de la GRC.

— Je devrai vous quitter avant la fin de son interrogatoire, mais je compte sur votre résumé et vos recommandations dès que possible. Merci à vous deux, je n'aurai pas à négocier à la baisse. »

Le fils Gendron, que touait un autre des *bavards* honnis des policiers, entama son interrogatoire moins grossièrement que l'infirmière et son Lavoie avaient entrepris le leur. Chez Letarte aussi, l'apparence d'un quelconque sens de la mesure n'était que placage. Cependant, plus rodé par le prétoire, Letarte flairait le vent avant de hisser les voiles. À défaut de culture et de raffinement, un certain dressage l'avait éveillé aux avantages de la coexistence pacifique.

« Monsieur Gendron rentre d'un voyage pénible. Je vous serai reconnaissant d'en tenir compte.

— Si vous jugez la chose appropriée, répliqua Pharand avec un impeccable sérieux, je vous présente mes condoléances. Cela vous fait deux deuils en peu de jours. »

Un souvenir demeurait éclatant dans la mémoire du policier : quand le fils Gendron avait rendu visite aux gens de la fondation à Posadas, Carlotta avait noté qu'à aucun moment le fils Gendron n'avait évoqué le décès de sa sœur. De nouveau, Simon Gendron enjamba la mention.

« Mon client répond à votre convocation, déclara Letarte. Je présume que vous connaissez déjà les changements apportés à mon mandat. Je ne représente plus que monsieur Simon Gendron. D'ailleurs, je viens d'apercevoir un confrère en compagnie de madame Chantal Doiron. Mieux vaut, acheva-t-il en reprenant du poil de la bête, que les choses soient claires.

— Je présume, enchaîna Marceau, qui s'était gardé en réserve de la république au cours du précédent interrogatoire, que vous connaissez vous-même les plus récentes décisions du tribunal. La fondation Gendron est libre de dépenser les chèques signés par Aimé Gendron. En plus, une demande d'injonction vise à protéger la fortune paternelle en attendant le jugement définitif sur la mise sous tutelle de monsieur Aimé Gendron. Ça va? »

On entra dans le vif du sujet sans que Letarte tente d'enseigner l'art des grimaces au tandem policier. On se faisait face et chacun ménageait salive et énergie. « Letarte a compris qu'il défend un perdant, se dit Pharand sans la moindre larme. Sado-masochiste. Il abuse du pouvoir quand il le tient, il rampe s'il se sait vaincu. Méprisable dans les deux rôles. » Marceau poursuivait sur sa lancée.

« Y a-t-il des faits que vous reconnaissez, monsieur Gendron? Cela nous dispensera de les établir en cour.

– Mon client en sait plus long aujourd'hui sur ce qui s'est passé. Il n'admet aucune culpabilité.

– Collons aux faits, demanda Marceau. Votre client admet-il qu'Aimé Gendron n'est pas mort de mort naturelle?

– Nous pensions que tel était le cas, surtout après le verdict du médecin traitant, mais il semble que les choses soient plus compliquées. »

Marceau aimait bien les duels, mais pas au fleuret. Il ne concevait pas un interrogatoire comme un effort anti-bégaiement.

« Ne perdons pas de temps en chatouilleries. Monsieur Gendron a été assassiné et vous le savez. Quel rôle avez-vous joué? »

Le fils Gendron mijotait sur sa chaise. Lessivé par le voyage, envahi par la peur comme par une marée depuis la mort de sa sœur, menacé de perdre l'armure de capitaux qui le mettait à l'abri des coups, il suivait les hostilités avec un mélange d'insensibilité et de désarroi. Letarte se chargea de la réponse.

« Mon client avait donné instruction à l'infirmière de monsieur Gendron de réduire sa fébrilité. Il craignait que son père s'agite trop et il souhaitait, si vous me permettez l'expression, qu'on l'amortisse un peu. Il se peut que l'on ait mal dosé la médication.

— Donc, aucune intention meurtrière chez votre client à propos de son père?

— Bien sûr que non!

— Aucune pression non plus pour que le père de votre client soit placé sous tutelle?

— C'était le seul moyen d'empêcher la faillite. »

Letarte n'essayait même pas de tirer le fils Gendron de son nirvana. Celui-ci en profitait pour s'absenter mentalement d'une conversation qu'il n'aurait pu mener plus trompeusement que son avocat.

« Et pourquoi votre client a-t-il insisté pour que sa sœur se rende en Amérique du Sud?

— Le frère et la sœur songeaient à un investissement majeur dans un projet hôtelier et domiciliaire en Argentine. Madame Gendron ne connaissait rien du contexte et mon client préférait qu'elle puisse juger par elle-même.

— Essayons une autre hypothèse, monsieur Letarte. Simon ici présent a pris une bouchée trop grosse et il a promis le gros lot à des associés qui ne rigolent pas. Il lui fallait plus que sa part de l'héritage et Gisèle ne voulait pas le laisser piger dans la sienne. Les associés lui disent : "Envoie-nous ta frangine, on va lui expliquer les choses de la vie." Simon, toujours ici présent, montre son immense courage en expédiant sa sœur dans la fosse aux lions. Que pensez-vous de ma version? »

Le fils Gendron s'était redressé. Ce n'était pourtant pas, à la surprise de son avocat et à la stupeur des policiers, pour protester.

« Qu'est-ce que je pouvais faire? »

La lâcheté lui suintait par tous les pores de la peau. Même son avocat, pourtant peu porté aux croisades, en fut gêné. S'extraire aux dépens de sa sœur d'un guêpier où il s'est plongé en imbécile heureux, voilà qui lui paraissait louable. Les policiers se regardèrent avec découragement: quel article du code criminel invoquer contre une conscience qui se javellise des démissions les plus répugnantes? Non-assistance à personne en danger? Insuffisant, bien sûr.

« Arrêtons là, coupa Pharand, soufflé par le culot d'un pubère de trente ans révolus. Vous demeurez en détention. Si notre procureur décide aujourd'hui des accusations portées contre vous, votre avocat en sera avisé aussitôt. Sinon, vous le saurez en comparaissant demain matin. »

Malgré la brassée de sophismes et de quarts de vérité qu'il venait de déverser devant les deux policiers, l'avocat du fils Gendron ne protesta que du bout des lèvres. Ou il estimait qu'une nuit à l'ombre restituerait une parcelle de décence à son client, ou, hypothèse que les policiers ne rejetaient pas, il voulait un bilan à jour de la capacité de payer du fils Gendron. Il souligna que son client n'avait ni approché son père avant son décès ni porté la main sur sa sœur au moment de sa chute dans le vide.

«Nous sommes prêts à négocier si vous vous en tenez à des reproches au chapitre d'une tutelle un peu distraite ou à une erreur de jugement lors du voyage de madame Gendron.

– Nous faisons rapport à notre procureur», répéta Pharand.

Chapitre 35

La comparution cingla les deux accusés. Le procureur Philippon décrivit la mort d'Aimé Gendron comme un meurtre avéré et prémédité. La conclusion s'imposait grâce à l'analyse effectuée à l'aveugle par une clinique privée sur les échantillons de sang et d'urine fournis par Aimé Gendron. L'accusation se faisait fort de démontrer la culpabilité conjointe de Chantal Doiron et de Simon Gendron dans l'empoisonnement. La preuve comprendrait les pièces comptables révélant les sommes anormales versées par le fils Gendron à l'infirmière et certains messages échangés entre Simon Gendron et Chantal Doiron. Au cas où la défense tenterait de diluer la culpabilité pour inclure Gisèle Gendron dans le complot, les deux accusés demeureraient les premiers visés par la poursuite. Double accusation de meurtre; par conséquent, double accusation de complicité.

Dans le second dossier, celui de la mort de Gisèle Gendron, le procureur Philippon ne dévoila rien de son jeu. Un supplément d'information lui paraissait requis avant de définir les éventuelles accusations. Simon Gendron avait sciemment mis en danger la vie de sa sœur, mais peut-être était-il coupable de pire. « Dans l'état actuel du dossier », le procureur ne rejetait aucune hypothèse, pas même celle de la commandite directe du meurtre par Simon Gendron. Le procureur Philippon évaluait à deux ou trois jours le temps requis pour ficeler le tout. Le tribunal décréta que les deux accusés demeuraient en détention et s'alloua du temps pour étudier toute demande de cautionnement.

Pendant que la salle d'audience évacuait un public attiré par le double décès et les personnalités en cause, le procureur et les deux policiers avaient formé un trio attentif, mais en retrait du bourdonnement des caméras. Ils avaient à se parler, mais leur première curiosité portait sur le face-à-face entre la faune médiatique et la belle Carlotta. Surgie juste après le début de l'audience, sobrement vêtue, visage fermé pendant que la salle apprenait la triste fin de vie d'Aimé Gendron, la jeune Guaranie était demeurée debout faute d'une place assise. L'avocat Jobidon l'accompagnait. Sagement, les policiers évitèrent de lui accorder le moindre signe de connivence. L'auteur des accusations de parti pris et de harcèlement hantait la salle des pas perdus et mieux valait ne pas nourrir ses phantasmes. Le temps de constater que l'avocat de Carlotta détournait les questions des journalistes et que Carlotta elle-même se bornait à souhaiter que se clarifie la situation de la fondation, le trio s'éloigna. Personne ne les retint : pourvus en images d'une femme à l'exotisme capiteux, les médias n'avaient nul besoin du procureur Philippon ou des policiers. Malgré tout, ceux-ci choisirent la prudence; ils se parleraient à la centrale de police. Dans trente ou quarante minutes, le temps pour chacun de mettre les urgences sur la touche.

« File, avait dit Pharand à son coéquipier. Je te rejoins là-bas. J'ai une vérification à faire au service de sécurité du Palais. »

Le clin d'œil transmettait à Marceau un autre message que la version ainsi offerte aux oreilles indiscrètes : « Je t'expliquerai. » Pharand en aurait d'autant plus long à expliquer qu'il se dirigeait non pas vers le service de sécurité, mais vers la salle qu'ils venaient de quitter.

Chapitre 36

«Vous avez compris pourquoi j'ai chargé à ce point Chantal Doiron? demanda le procureur dès que les trois hommes se retrouvèrent à la centrale de police.

– Cela fait-il partie de la justice ou de l'administration? osa demander Marceau. Il aimait le rapprochement entre Pharand et le procureur, mais il n'avait pas encore défini ses propres relations avec le plaideur.

– Vous pigez vite, monsieur Marceau. Disons que je nous ai ménagé une marge de manœuvre.»

Le «nous» était habile.

«Si l'infirmière enfonce le fils Gendron, les circonstances atténuantes allégeront son dossier, c'est à peu près ça?»

Les mains de Marceau s'efforçaient de saisir l'impondérable en voletant autour de lui.

«C'est dit brutalement, mais, oui, c'est l'esprit. Si elle a quelque chose à gagner, elle va parler. Sinon, notre cause s'affaiblit. Je ne la féliciterais pas pour ses imprudences passées en matière d'avortement, mais elle en a payé le prix en sanctions professionnelles et en exil forcé. Sa pharmacie vous a sans doute appris qu'il lui fallait lutter, aujourd'hui encore, contre un virus ramené du Sud... »

Pharand et Marceau, plutôt penauds, se regardèrent. Le procureur prenait-il plaisir à leur apprendre ce qu'ils n'avaient pas soupçonné? Le produit mystérieux lui était donc destiné plutôt qu'à l'un de ses patients!

« Elle ne veut pas revivre ces années et elle a cédé au chantage du fils Gendron, poursuivit, impénétrable, le procureur. Le tribunal va probablement estimer qu'elle fait une complice moins antipathique que l'instigateur du meurtre. En plus, sa réinsertion sera ardue si le procureur du fils Gendron la discrédite publiquement.

– Pouvez-vous amener Letarte à y aller mollo?

– Il faudra que je lui offre quelque chose, monsieur Marceau. Avez-vous des suggestions? »

Le diable d'homme avait eu accès plus vite qu'eux au dossier de l'infirmière. Il les traitait pourtant en associés.

« Moi, répondit Marceau après un temps d'hésitation, je me souviendrais subitement d'un sachet de neige saisi chez Gendron junior et de ses négociations avec des mineures... »

Pharand assistait en esthète au dialogue entre deux styles, peut-être aussi deux époques. Le procureur souriait.

« Je verrai comment faire parvenir à Letarte votre appel à la modération », fit-il sans se mouiller.

Il enchaîna dans un autre registre.

« Que faisons-nous avec ce que l'on peut appeler les périphériques? Jobidon est en bonne posture pour faire casser le jugement sur la santé mentale d'Aimé Gendron. Fonçons-nous dans la brèche pour démontrer que l'expertise psychologique était entachée de vénalité? Portons-nous des accusations criminelles pour captation d'héritage? Laissons-nous Jobidon agir au civil et revalider le testament d'Aimé Gendron? Si nous passons avant la cause civile, la fondation est presque certaine de tout récupérer... Si Jobidon nous précède et obtient une décision favorable au civil, je n'aurais qu'à me laisser porter. »

Regardant à la fois le procureur et Marceau, Pharand s'avança au bord de sa chaise. Son acolyte connaissait les symptômes : on aurait droit à ce qu'il appréciait et détestait sous le nom de « Pharand tordu ».

« Vas-y, André, fit-il en enfonçant un peu plus sa chaise sous la table. Qu'est-ce que tu nous as caché?

— Des doutes. Il y en a que j'ai liquidés, d'autres qui m'agacent encore. Vous permettez, dit-il à l'intention du procureur, que je fasse un détour?

— La paranoïa d'un policier, c'est un délice, dit le procureur en prenant Marceau à témoin. J'écoute.

— Si je suis resté au Palais de justice tout à l'heure, c'était pour converser entre quat'z'yeux avec Carlotta Alvarez.

— Vous avez dû frustrer les caméras, fit le procureur. Je ne l'avais jamais vue. Elle est aussi belle qu'on me l'avait dit.

— Elle est revenue en catastrophe, enchaîna Pharand. À la demande de son avocat. Au cas où il y aurait des décisions à prendre après l'audience. Elle est, jusqu'à maintenant, la grande gagnante de ce qui se passe. Non seulement elle dispose des chèques signés par Aimé Gendron avant sa mise sous tutelle, mais on peut parier que la fortune complète de monsieur Gendron, dix ou douze millions de plus, tombera tout à l'heure sous le contrôle de la fondation.

— Tu n'aimes pas les gens trop riches? demanda Marceau qui retrouvait ses réflexes méfiants dès qu'on touchait à l'auréole de la belle Guaranie.

— Il y a plus que cela, Jean-Jacques, répliqua Pharand d'un ton conciliant. Tu admettras que Carlotta Alvarez est transformée depuis que Jobidon est entré en scène. Ce n'était plus la même femme. Exact? »

Marceau concéda le point sans chipoter.

« Je ne la blâme pas, expliqua Pharand. Nous sommes tous comme cela : le pouvoir éveille ou réveille en chacun de nous des appétits. Je voulais vérifier comment le pouvoir influençait Carlotta Alvarez. »

Marceau et le procureur ne disaient mot, mais leur attention s'intensifiait.

« Quand nous avons effectué une perquisition chez elle, elle n'a pas apprécié ce manque de confiance. C'était humiliant pour elle, mais j'avais convaincu monsieur Philippon que c'était nécessaire et même que cela la mettrait à l'abri. J'ai admis et j'admets encore que j'ai requis l'artillerie lourde sans motif suffisant. Mais, et l'index de

Pharand martelait l'affirmation sur la table, elle a aussitôt inventé la parade.

– C'est le contraire, André, riposta Marceau. Elle n'a pas attendu que l'on copie la suite de ses courriels, elle les a imprimés et me les a donnés.

– À une exception près, Jean-Jacques. »

Pharand avait obtenu l'effet escompté.

« Les courriels de Carlotta sont numérotés et, justement, dans la série qu'elle t'a gentiment remise, il y a un trou. Un courriel fait défaut. Un seul. Tu connais nos techniciens. J'ai mentionné le numéro absent et ils m'ont donné le courriel manquant. Le voici en traduction : "Pablo incontrôlable. Il a GG dans sa mire." La date est inquiétante, elle aussi, c'était le matin même de la mort de Gisèle Gendron. GG. Puisque nous parlons de date, poursuivit Pharand, une autre coïncidence a attiré mon attention. Jobidon a fait un beau travail de déblaiement : il a établi qu'Aimé Gendron était autonome quand il a signé les chèques assurant le financement de sa fondation pour plus d'un an. Mais la chronologie ajoute ceci : le dernier chèque précède de quatre jours seulement le jugement plaçant Aimé Gendron sous tutelle. Gendron savait, et Carlotta Alvarez aussi bien que lui, ce qui risquait de se produire. Cela ressemble à une mesure préventive à l'avantage de la fondation. Mesure légale d'ailleurs. »

De mauvais gré, Marceau acquiesçait. De temps à autre, il griffait son calepin d'un mot assorti d'un point d'interrogation. On sentait en lui la gestation des objections. Quant au procureur, il se lissait pensivement la pomme d'Adam. Pharand voulut réduire la tension.

«Je vous exprime des doutes, c'est tout. J'en arrive aux comptes rendus contradictoires qui nous arrivent de la police de Posadas et du réseau Carlotta...

– "Réseau Carlotta", répéta le procureur. Attendez que les médias entendent ça! Belle manchette!

– Nous avons deux versions inconciliables, reprit Pharand. Dans un cas, la police affiche les aveux du tueur. Dans l'autre cas, le réseau Carlotta fait apparaître un mystérieux duo. Ce duo échappe au regard du pilote-guide de madame Gendron et c'est lui, selon le sous-entendu, qui la précipite dans le vide. Deux versions insatisfaisantes. Je ne connais pas les méthodes d'interrogatoire de la police de Posadas, mais je me méfie des résultats instantanés. D'un autre côté, ceux qui auraient vu deux tueurs en costume noir ne sont pour moi que des indicateurs anonymes.

– D'après toi, qu'est-ce qu'il faut penser?»

Le ton, de méfiant qu'il était, se muait en inquiétude.

«Je ne sais pas, répondit Pharand. La police de Posadas aime sûrement l'idée d'intercepter un quelconque figurant et d'en faire son coupable. Elle achète la paix avec des agités dangereux, elle ferme un dossier embarrassant, elle soulage l'industrie touristique. Si le pauvre Pedro Ramirez reniait sa confession et présentait tout à l'heure un alibi, la police ferait discrètement amende honorable et noierait l'enquête. Elle a d'ailleurs l'autopsie comme échappatoire.

– Donc, coupa Marceau, tu crois plutôt le réseau Carlotta?

– Avec des nuances, Jean-Jacques. Là aussi j'ai des doutes. »

Pharand tourna vers Marceau un regard aigu.

« Quel est le nom de famille de Carlotta, Jean-Jacques?

– Alvarez, tu le sais comme moi.

– Non, Jean-Jacques. Elle nous a d'ailleurs prévenus. Souviens-toi. Elle a dit que son vrai nom, un nom guarani, était trop difficile à prononcer et qu'elle utilisait un nom argentin à la place. Sur son passeport, et la perquisition le prouve, c'est un nom guarani qui apparaît, un nom assez difficile à prononcer. Je le prononce à ma manière : Montleonuc. Je ne garantis même pas l'orthographe. »

Il fit une pause. Théâtrale. Et lâcha sa bombe.

« Le même nom de famille qu'un jeune guide touristique guarani dans la région d'Iguaçu. Son prénom est Pablo. »

Un silence suivit, pensif chez le procureur, accablé chez Marceau.

« Ce que je vous dis, je tenais à le livrer d'abord à Carlotta. Je ne l'ai accusée de rien, car il n'y a pas de crime à mettre en lieu sûr l'argent de la fondation. Je ne peux pas non plus l'accuser formellement d'avoir inventé le duo de tueurs; elle nous relaie une version qu'elle ne peut peut-être pas garantir. Je l'ai invitée à faire ses propres vérifications et à ne pas laisser Pedro subir le sort d'un coupable. Son réseau connaît peut-être déjà l'alibi qui mettrait Pedro hors de cause; qu'elle s'en serve. Je lui ai dit également que je gardais le dossier ouvert et que je suivrais de près les agissements de la fondation.

— Qu'a-t-elle répondu? demanda Marceau.

— Oui, Pablo est son frère. Oui, il était déterminé à liquider Gisèle Gendron et son frère pour que le travail de la fondation puisse continuer. Il prétend, toutefois, n'avoir jamais touché à Gisèle Gendron. Il connaît bien les lieux et estime probable qu'elle a glissé. Quant aux tueurs, une sorte d'omerta en élimine la description. Carlotta accepte la version de son frère.

— Le médecin légiste de Posadas aurait raison», nota Marceau d'une voix blanche.

Le procureur toussota et laissa tomber:

«Quelle version retenez-vous et quelle est votre recommandation?»

Pharand les regarda tous les deux avec plus de tristesse que de résignation.

«Mes pires jours dans ce damné métier, ce sont ceux où toutes les solutions ressemblent à un blanchiment du crime.»

Il fit une pause et déglutit péniblement.

«J'exagère. Peut-être pas un blanchiment, mais l'acceptation de demi-culpabilités. Je suis moralement certain que le fils Gendron a planifié la mort de sa sœur dès avant l'assassinat de son père. Pour satisfaire divers besoins, il lui fallait la totalité de l'héritage. Il a inventé de toutes pièces un projet d'investissement en Argentine. Il a gonflé délibérément les attentes de milieux voraces. Puis, il a envoyé sa sœur dans la fosse aux lions en la présentant comme la responsable des blocages. Par la suite, ses pseudo-partenaires l'ont menacé lui aussi et il s'est enfui. Pour l'accuser même de complicité dans le meurtre de sa sœur, il faudrait identifier à distance les bénéficiaires de ses pots-de-vin, y compris des policiers. Impossible à partir d'ici. Quant à Pablo, de quoi puis-je l'accuser quand le médecin légiste retient l'hypothèse d'un accident et que la police argentine est heureuse avec son Pedro?

— Vous avez dit moralement certain, monsieur Pharand, fit lentement le procureur.

— Moralement certain, cela veut dire que je ne peux rien prouver. Plusieurs des coupables demeurent en liberté.

— Et Carlotta? demanda Marceau.

— Elle défend sa cause. Elle nous a caché sa parenté avec Pablo, ce qui n'est pas un crime. Le courriel qu'elle a escamoté, il peut se justifier comme un appel familial. Et je n'oublie pas que nous lui devons le peu que nous savons. J'éprouve de la pitié pour le dénommé Pedro et j'ai demandé à Carlotta de partager cette pitié. »

Le silence s'était imposé au trio, profond et dense.

« Au fond, conclut Pharand, Aimé Gendron serait heureux que sa fortune serve à la cause guaranie au lieu de se perdre dans les foutaises de ses enfants, mais ce n'est pas le rôle d'un policier de jouer à l'arbitre. Pour répondre directement à votre question, monsieur Philippon, la partie policière du dossier est terminée : nous pouvons prouver que le fils Gendron a tué son père avec l'aide de Chantal Doiron. Je crois qu'il a planifié l'élimination de sa cohéritière, mais je ne peux pas identifier ses intermédiaires ni prouver qu'il a payé Pedro pour servir de bouc émissaire temporaire ou permanent. Quant au réseau Carlotta, je respecte sa détermination même si certaines de ses méthodes me font peur. »

Le silence se prolongeait.

« Je vais suivre la recommandation que vous ne me faites pas, fit doucement le procureur. Au cas où des surprises surviendraient, je vais attendre quelques jours avant d'annoncer l'abandon des procédures dans le cas de Gisèle Gendron. Mais je ne cautionne pas les reproches que vous vous adressez : tant que des soupçons manquent de confirmation, il faut présumer l'innocence de ceux qui circulent librement. Présomption parfois méritoire, je l'admets ! »

Les poignées de main échangées transmettaient plus que des civilités.

DISTRIBUTEURS EXCLUSIFS

Distributeur pour le Canada et les États-Unis
LES MESSAGERIES ADP
MONTRÉAL (Canada)
Téléphone : (450) 640-1234 ou 1 800 771-3022
Télécopieur : (450) 640-1251 ou 1 800 603-0433
www.messageries-adp.com

Distributeur pour la France et autres pays européens
HISTOIRE ET DOCUMENTS
CHENNEVIÈRES (France)
Téléphone : 01 45 76 77 41
Télécopieur : 01 45 93 34 70
www.histoire-et-documents.fr

Distributeur pour la Suisse
TRANSAT S.A.
GENÈVE
Téléphone : 022/342 77 40
Télécopieur : 022/343 46 46

Dépôts légaux
Bibliothèque nationale du Canada
Bibliothèque et Archives nationales du Québec, 2007